Le grand livre
des jeux
drôles et intelligents

DESTINATION MONDE EN 135 JEUX

Le grand livre
des jeux
drôles et intelligents

Textes

Marie-Claude Favreau

Graphisme
et
illustrations

Isabelle Charbonneau

Favreau, Marie-Claude

Le grand livre des jeux drôles et intelligents. Destination monde en 135 jeux

Conception typographique : Jean-Marc Gélineau

Dépôts légaux : 3e trimestre 1999
Bibliothèque nationale du Québec
Bibliothèque nationale du Canada

ISBN : 2-7625-0832-0

Imprimé au Canada

10   9   8   7   6   5   4   3   2

LES ÉDITIONS HÉRITAGE INC.
300, rue Arran, Saint-Lambert (Québec) J4R 1K5
Téléphone : (514) 875-0327
Télécopieur (450) 672-5448
Courriel : info@editionsheritage.com

Sommaire

Légendes

Jeux de calcul et de logique

Jeux de mots

Jeux d'observation

Mots croisés

Quiz, charades et énigmes

Facile

Moyen

Difficile

Supergrille: en Voyage!

Tout le monde en voiture ! Dépêche-toi de placer les 30 mots de cette liste dans la grille.

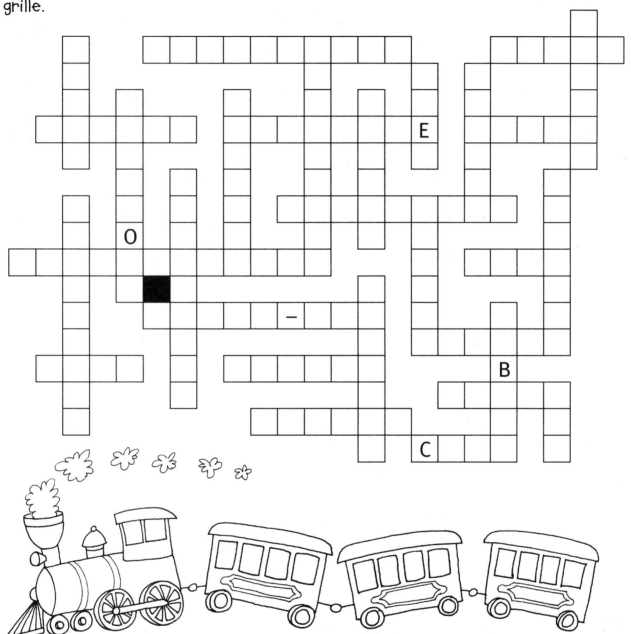

Mots à placer :

3 lettres : sol

4 lettres : cale, chef, gare, port

5 lettres : avion, rails, repas, train

6 lettres : bateau, billet, cabine, douane, escale, hublot, moteur, pilote, valise

7 lettres : bagages, hôtesse, station

8 lettres : aérogare, aéroport, wagon-lit

9 lettres : capitaine, décollage, passeport, entrepont

10 lettres : commandant

12 lettres : atterrissage

◉ La Valise perdue

Julien a perdu sa valise. Il ne sait pas qu'elle est sous un sac à dos, qui est à gauche d'un sac de toile, qui se trouve sous un étui, qui est à côté d'un porte-monnaie, lui-même à côté d'une caisse, qui se trouve au-dessus d'une boîte ronde, laquelle est au-dessus d'un sac à dos placé à côté d'une caisse. La vois-tu, toi ?

Qu'est-ce qui cloche au pôle Nord?

Belle journée pour la pêche! Mais il y a 10 anomalies dans ce décor enneigé. Pourras-tu les trouver?

© Les éditions Héritage inc. 1999

 Le flocon

Dispose les chiffres de 1 à 7 dans les cercles pour que la somme sur chacune des trois grandes branches du flocon soit de 10.

 Sous le ciel étoilé

Tous ces éléments représentent des nombres qui sont des multiples de 5 et ne dépassent pas 25. Es-tu capable de découvrir quelle est la valeur de chacun d'eux ?

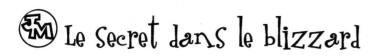

Le secret dans le blizzard

Déchiffre ce que raconte cet Inuit en t'aidant du code.

◁ ᔑ ᑕ ᒧ △ ᑯ ᓇ ▽ ᐸ ᒍ ᕐ ᖬ ᑕ ᐳ ᖮ

A B E G I L N O P Q R S T U V

ᐸ▽△ᑯ◁ ᐳᓇ ᐸᑕᑕ△ᑕ
_ _ _ _ _   _ _ _   _ _ _ _ _

ᔑᕐ△ᖬᑕ ᒍᐳ△ ᕐ◁ᖮ△ᒧ▽ᑕ!
_ _ _ _ _ _   _ _ _   _ _ _ _ _ _ _

◉ Dans le Grand Nord

Nanuk a perdu trois éléments dans la neige. Ce sont les trois éléments entourés de six éléments différents. Trouve-les vite !

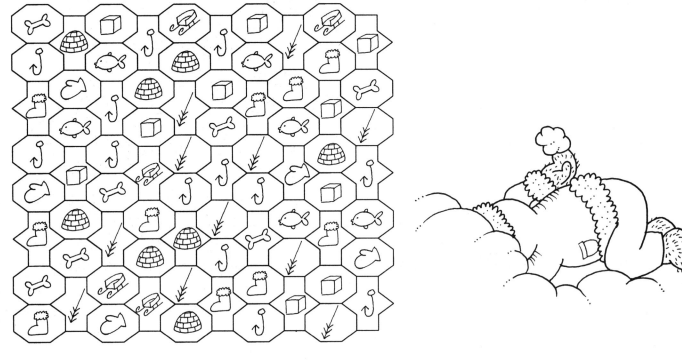

√x̄ Question de cubes

Combien de cubes Agaguk doit-il découper dans la glace pour terminer le grand cube ?

 R... comme rodéo!

Le grand jour du rodéo est arrivé! Jules parviendra-t-il à se maintenir en selle plus de deux secondes? En attendant, essaie de trouver au moins 15 éléments dont le nom commence par R.

Mot mystère: des vacances à la plage

Trouve dans la grille tous les mots de la liste, en gardant les plus courts pour la fin. Les mots peuvent être écrits horizontalement, verticalement ou en diagonale, de gauche à droite ou inversement, et une lettre peut servir plus d'une fois. Les lettres qui restent te donneront le nom d'un petit coquillage.

C	O	U	T	E	A	U	V	U	B
T	L	I	T	T	O	R	A	L	I
N	G	S	U	R	F	E	G	D	E
A	O	E	R	N	T	E	U	U	L
R	F	A	L	A	I	S	E	N	I
U	A	U	H	V	E	R	S	E	O
O	U	C	E	L	L	E	P	S	T
C	O	Q	U	I	L	L	A	G	E
P	L	A	G	E	E	L	B	A	S

Mots à trouver :
château, coquillage, courant, couteau, dunes, étoile, falaise, littoral, pelle, plage, sable, seau, surf, vagues, vers.

Mot mystère : ___ ___ ___ ___ ___ ___ ___ ___ ___ ___

 Pêle-mêle

Marie, Manon, Mireille et Mimi ont échangé leurs chapeaux. À l'aide des indices, trouve à quelle fillette correspond chacune des lettres.

Indices :
Marie ne porte pas le chapeau de Mimi.
Manon porte le chapeau de Mireille ou celui de Mimi.
Mireille ne porte pas le chapeau de Mimi.
Mimi porte le chapeau de Marie.

A   B   C   D

A _____ B _____ C _____ D _____

Objets cachés: le long du sentier

Ces randonneurs marchent depuis des jours le long du sentier des Appalaches. La nuit va bientôt tomber. Aide-les à trouver: deux allumettes, deux tasses, une lampe de poche, deux fourchettes, deux cuillères, une montre, une hache et une pipe.

◉ Jeu de mémoire: le cuistot

Quelle activité dans la cuisine du célèbre restaurant *La Patata frita!* Derrière la porte, des dizaines de clients attendent d'être servis. Le chef Alfonsino et ses trois marmitons en ont plein les bras. Regarde le dessin pendant une minute, sans prendre de notes. Ensuite, tourne la page et essaie de répondre aux questions.

◉ Jeu de mémoire: le cuistot (suite)

Dans cette cuisine, y a-t-il:

- une poêle à frire ? . . . . ☐
- trois crabes ? . . . . ☐
- des lunettes de soleil ? . . . . ☐
- une roue de vélo ? . . . . ☐
- une pelle ? . . . . ☐
- un chapeau de clown ? . . . . ☐
- deux quilles ? . . . . ☐
- deux bottes ? . . . . ☐
- une chaise ? . . . . ☐
- une radio ? . . . . ☐
- une chaussette ? . . . . ☐
- un os ? . . . . ☐
- un navet ? . . . . ☐
- un tablier décoré de cœurs ? . . . . . ☐
- un chat ? . . . . ☐

√x̄ Le problème de Chico

En déplaçant quatre clous, Chico le charpentier n'aura plus que trois carrés. Vois-tu comment ?

© Les éditions Héritage inc. 1999

✓x̄ La forêt tropicale

Chaque arbre est la somme des deux arbres sous lui. Indique sur chaque arbre la valeur qu'il doit avoir. Au sommet, tu trouveras la hauteur en mètres du plus grand arbre du monde, un séquoia.

👁 La toile inachevée

Lequel de ces détails complète la toile d'araignée ?

A   B   C   D

© Les éditions Héritage inc. 1999

21

Le méli-mélo des noms d'animaux

À l'aide des indices, démêle les noms d'animaux suivants. Avec les lettres dans les cases grises, tu pourras former le nom des îles d'où ils proviennent.

1. EUAIGN ☐ ▨ ☐ ☐ ☐ ☐
2. AOIETR ☐ ☐ ▨ ☐ ☐ ☐
3. PLCNIAÉ ☐ ☐ ▨ ☐ ☐ ▨ ☐
4. PHQUEO ▨ ☐ ☐ ☐ ☐ ☐
5. OOARCMRN ☐ ☐ ☐ ☐ ☐ ☐ ▨ ☐
6. PNGONUII ☐ ☐ ☐ ▨ ☐ ☐ ☐ ☐
7. TTROUE ☐ ▨ ☐ ☐ ☐ ☐
8. AAOBTSRL ☐ ☐ ☐ ☐ ☐ ☐ ☐ ▨

Solution : ___ ___ ___ ___ ___ ___ ___ ___ ___ ___

Le joyeux carrousel

Attribue un chiffre de 1 à 11 à chaque cheval, de façon que chaque ligne formée de 3 chevaux donne 18.

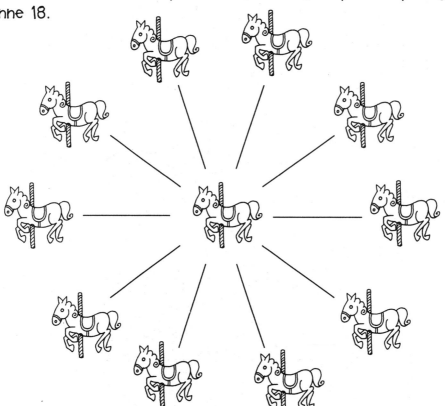

© Les éditions Héritage inc. 1999

Lézards cachés: sous les tropiques

C'est l'heure de la sieste sur cette petite île des Antilles. Essaie de trouver les 10 lézards qui se dorent au soleil.

Supergrille: la faune marine

La mer abrite une foule d'animaux de toutes sortes. Place dans cette grille les 25 noms d'animaux marins de la liste ci-dessous. Pour t'aider, nous avons déjà placé deux lettres.

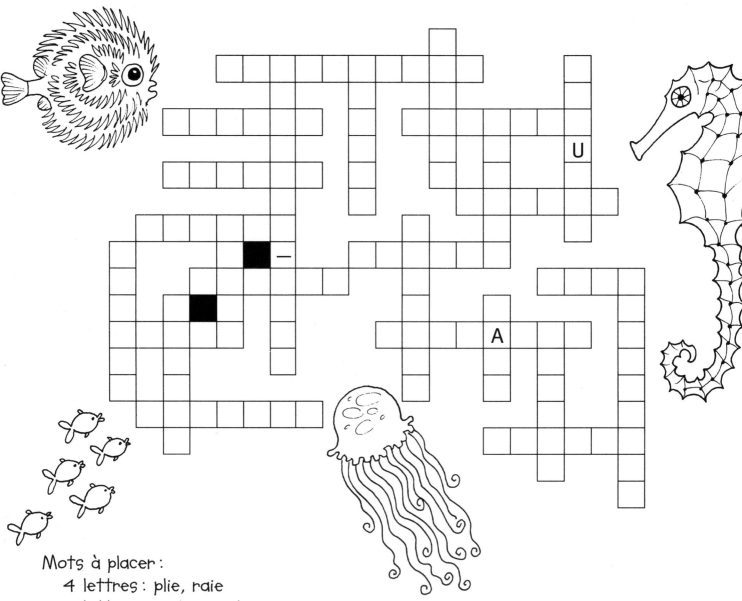

Mots à placer :

   4 lettres : plie, raie

   5 lettres : crabe, moule

   6 lettres : calmar, corail, éponge, huître, méduse, murène, otarie, oursin, phoque, rémora, requin, saumon, seiche

   7 lettres : anémone, baleine, goéland, pieuvre

   8 lettres : cachalot

   9 lettres : esturgeon

   10 lettres : hippocampe

   11 lettres : poisson-scie

√x̄ Le défi du douanier

À l'aéroport, un douanier s'avance vers un groupe de voyageurs venus de France. Il leur demande : « Qui a du chocolat à déclarer ? » Huit voyageurs lèvent la main. « Qui a du saucisson à déclarer ? » Six voyageurs lèvent la main. « Qui déclare du saucisson et du chocolat ? » Cinq voyageurs lèvent la main. Combien de voyageurs ont déclaré quelque chose ?

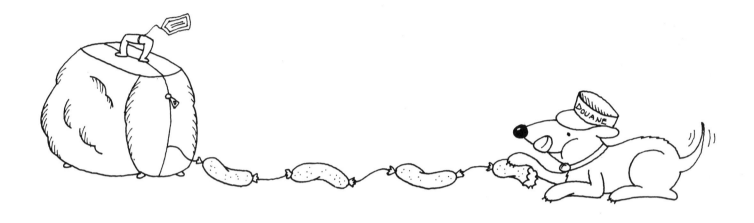

Pagaille à l'aéroport

Remets les syllabes dans l'ordre pour savoir ce qui se passe ici.

√x̄ Les lutins malins

Ces huit petits lutins irlandais se ressemblent tous. À l'aide des indices ci-dessous, essaie de savoir comment s'appelle chacun d'eux. Dès que tu les auras appelés par leur nom, ils disparaîtront et cesseront de nous embêter.

Indices

Cric est entre Snouc et Pop.

Il y a autant de gnomes entre Pop et le trèfle qu'entre Flip et Pop.

Flip est le plus éloigné du trèfle.

Snouc est plus près du trèfle que Cric.

Bob est plus loin de Flip que Crac.

Bong est entre Croc et Crac.

Croc est plus loin de Bob que Crac.

Grille mystère

Colorie les cases marquées d'un △ en rouge, les cases marquées d'un ☐ en vert et celles marquées d'un ◯ en jaune. Tu sauras alors ce que vend cette jeune Hollandaise.

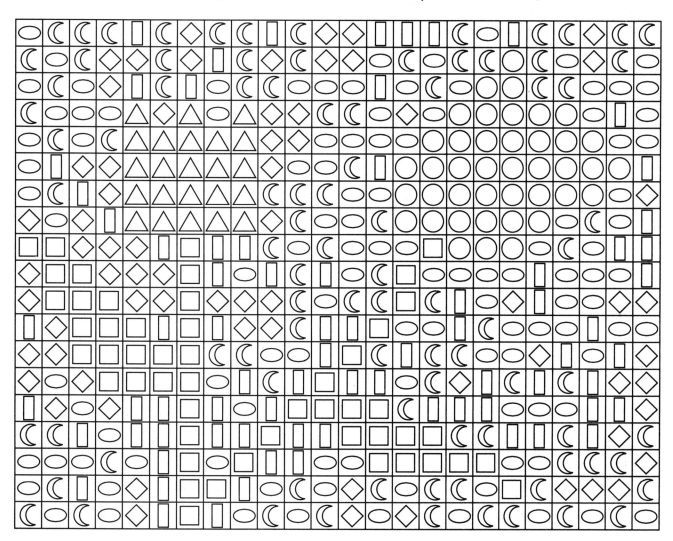

© Les éditions Héritage inc. 1999

27

Le quiz des mots en POL

À l'aide des définitions, trouve des mots qui contiennent tous la syllabe POL. Les lettres dans les cases grises te donneront le nom par lequel, aux Pays-Bas, on désigne un marais asséché et protégé de la mer par une digue.

1. Synonyme de peureux.

2. Habitant de la Pologne.

3. Habitant de Naples.

4. Le contraire de polluer.

5. Les abeilles le transportent de fleur en fleur.

6. La plus grosse ville d'un pays.

Solution : ___ ___ ___ ___ ___ ___

À la mode

Rémi Rayure, Simon Pois et Arnaud Carreau se rencontrent dans la cour d'école. L'un d'eux porte un chandail à rayures, l'autre un chandail à pois et le troisième, un chandail quadrillé, mais un seul d'entre eux porte un chandail correspondant à son nom. « Oui, dit Rémi, moi j'ai choisi le quadrillé, aujourd'hui. » Identifie chacun des garçons.

P... comme péniche!

La famille Tiguidou habite une belle péniche qui se déplace au fil des canaux. Trouve dans cette image au moins 25 éléments dont le nom commence par P.

Les Voyelles de la morale

Écris les voyelles qui manquent pour compléter cette morale qu'on trouve à la fin d'une célèbre fable de La Fontaine.

R____n n__ s__rt d__ c____r ____r,

__l f____t p__rt__r ____ p____nt!

La fable fantôme

Traverse cette grille en formant le titre d'une fable bien connue de Jean de La Fontaine. Ne te déplace qu'horizontalement ou verticalement.

entrée →

L	A	M	O	C	B	C	D	L	M	G
Z	C	R	K	X	W	F	F	A	M	I
F	I	G	A	L	R	I	B	U	R	C
U	Q	B	C	E	J	T	F	O	J	H
O	R	F	B	E	T	L	A	K	P	Q
M	F	G	A	E	U	K	D	T	H	S

→ sortie

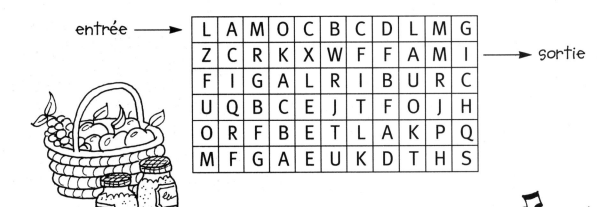

T... comme toute une visite au zoo!

Aujourd'hui, la classe de Martine visite le zoo de Vincennes, à Paris. L'enseignante a demandé aux élèves de trouver au moins 20 éléments dont le nom commence par T. Aide-les un peu!

✓X La pesée du zoo

Les gardiens doivent connaître le poids de leurs animaux. Pour aller plus vite, ils les pèsent par groupes. Combien pèse un rhinocéros?

✓X Les chiens parisiens

Combien de bassets faudra-t-il mettre dans le plateau de la balance pour que celle-ci se retrouve en équilibre?

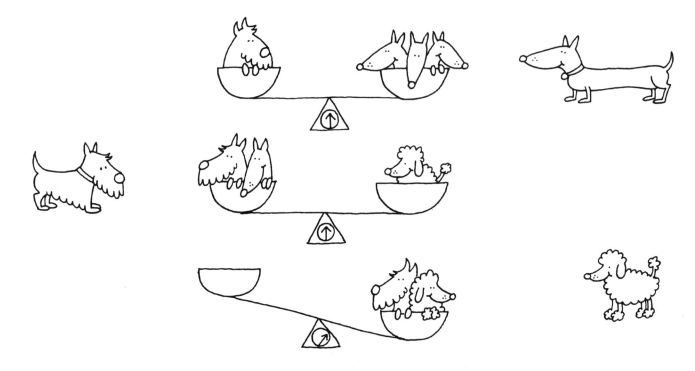

La grille des mots en images

À l'aide des images-indices, essaie de remplir cette grille. Les mots doivent être écrits de gauche à droite ou de haut en bas.

© Les éditions Héritage inc. 1999

M... comme magie!

Vive le cirque de Monaco! Avant le grand numéro des trapézistes, le clown Magouille présente son merveilleux numéro de magie. Trouve dans cette image les éléments dont le nom commence par M. Il y en a au moins 20!

◉ À l'eau!

Observe bien cette scène vénitienne et essaie de repérer les 10 anomalies du reflet.

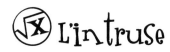 Remue-méninges

1. Alberto affirme à son ami Gianfranco que sa grand-mère n'a que neuf ans de plus que son père. Gianfranco devrait-il le croire ?

2. Isabella, enseignante en 3ᵉ année, vient de recevoir un avion en papier derrière la tête.
   - Qui a fait ça ? demande-t-elle, en se retournant, aux trois élèves dans le fond de la classe.
   - C'est Alexandra ! dit Monica.
   - C'est moi ! dit Alexandra.
   - C'est Monica ! dit Samia.
   Isabella sait que ces trois-là mentent toujours, alors qui a fait le coup ?

L'intruse

Parmi ces sept images, il s'en trouve une qui ne devrait pas y être. La vois-tu ?

En observant bien les trois premières frises, peux-tu dire lequel des 8 éléments proposés pourra compléter la quatrième ?

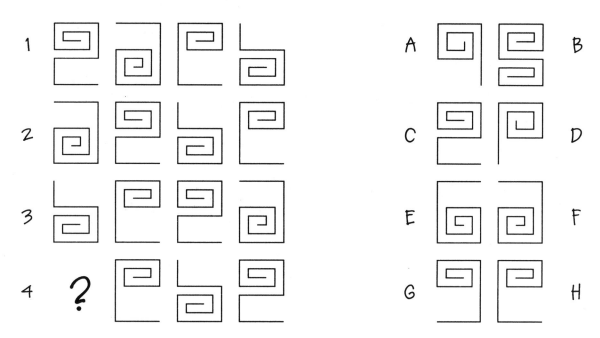

? Les petits futés à l'affût

1. Qu'est-ce qu'un sampan ?
   ☐ un oiseau à grande queue   ☐ un bateau chinois   ☐ un vêtement japonais

2. Qu'est-ce qu'une isba ?
   ☐ une pelle   ☐ une poupée russe   ☐ une maisonnette russe

3. Quel bâtiment retrouve-t-on en Asie ?
   ☐ une pagode   ☐ une gondole   ☐ une pagaïe

4. Quel est le pays qui produit le plus de films au monde ?
   ☐ l'Égypte   ☐ l'Inde   ☐ les États-Unis

5. Quel est le plus plat des continents ?
   ☐ l'Antarctique   ☐ l'Europe   ☐ l'Australie

Mot mystère en LI

Tous les mots cachés dans cette grille commencent par LI. Ils sont écrits horizontalement, verticalement ou en diagonale, de gauche à droite et inversement. Une lettre peut servir plus d'une fois. Avec les lettres qui restent, tu obtiendras le nom d'un pays.

L	L	I	M	O	N	A	D	E	L
L	I	B	E	L	L	U	L	E	I
I	M	L	L	I	L	L	I	T	N
V	I	I	I	C	I	L	M	I	G
R	T	E	G	H	L	I	A	N	E
E	E	V	N	E	A	O	C	T	H
E	U	R	E	N	S	N	E	A	N
I	E	E	L	I	Q	U	I	D	E

Mots à trouver :

liane, libellule, lichen, lièvre; ligne, lilas, limace, limite, limonade, linge, lion, liquide, lit, livrée.

Mot mystère : ___ ___ ___ ___ ___ ___ ___ ___ ___

Le Secret du Cosaque

A l'aide du code inspiré de l'alphabet cyrillique, déchiffre ce que pense ce danseur russe.

А	Б	Г	д	Э	И	Ж	Л	М	Н	О	Р	С	В
a	b	c	d	e	i	j	l	m	n	o	r	s	v

ЖʼАдОРЭ   ЛА   дАНСЭ,

‗‗‗‗‗‗   ‗‗   ‗‗‗‗‗

МАИС   ЖЭ   ГОММЭНГЭ   А   АВОИР

‗‗‗‗   ‗‗   ‗‗‗‗‗‗‗   ‗   ‗‗‗‗‗

ЛЭС   ЖАМБЭС   МОЛЛЭС!

‗‗‗   ‗‗‗‗‗‗   ‗‗‗‗‗

© Les éditions Héritage inc. 1999

◉ Objets cachés: au cœur de l'Himalaya

Douze moulins à prières ( ) ont été dispersés dans ce village népalais. Essaie de les trouver !

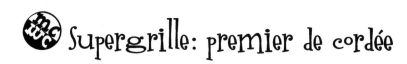

Supergrille: premier de cordée

L'alpinisme n'est pas un sport banal ! Place dans cette grille tous les mots de la liste ci-dessous et tu atteindras les plus hauts sommets de la gloire !

Mots à placer :

- 3 lettres : pic, col
- 4 lettres : cime, vent
- 5 lettres : camps, crête, guide, neige, piton
- 6 lettres : chaîne, cordée, piolet, sommet
- 7 lettres : crampon, glacier, versant
- 8 lettres : altitude, crevasse, escalade, montagne
- 9 lettres : alpinisme, ascension, avalanche, élévation
- 11 lettres : escarpement

G... comme Gange

Tous ces Hindous sont venus se purifier dans le Gange, un important fleuve de l'Inde. Dans cette illustration, il y a au moins 12 éléments dont le nom commence par G. Pourras-tu les trouver ?

Méli-mélo de lettres chiffrées

Ici, il te suffit de changer l'ordre des lettres de chacun des mots pour découvrir un nouveau mot (toujours un nom). Inscris les mots trouvés sur les tirets et tu constateras que chaque lettre correspond à un chiffre. Sur les tirets du bas, inscris la lettre qui correspond à chaque chiffre, et tu auras le nom du pays où on réalise le plus de films au monde.

pair ___ ___ ___ ___
    10 1 7 3

agile ___ ___ ___ ___ ___
    1 3 2 9 6

coupe ___ ___ ___ ___ ___
    10 15 4 19 6

tour ___ ___ ___ ___
    12 7 15 4

tourte ___ ___ ___ ___ ___ ___
    12 15 7 12 4 6

rotule ___ ___ ___ ___ ___ ___
    9 15 4 12 7 6

douce ___ ___ ___ ___ ___
    19 15 4 5 6

mare ___ ___ ___ ___
    7 1 13 6

ligne ___ ___ ___ ___ ___
    9 3 8 2 6

Le pays où on réalise le plus de films au monde : ___ ___ ___ ___
    3 8 5 6

© Les éditions Héritage inc. 1999

√x̄ Le défi dans la jungle

Dans la jungle indienne, il y a des tigres, des éléphants et des chasseurs. Si on met ensemble les tigres et les chasseurs, il y a 18 jambes et pattes. Ensemble, les tigres et les chasseurs sont 3 fois plus nombreux que les éléphants. Combien y a t-il de chasseurs, de tigres et d'éléphants?

_____ chasseurs

_____ tigres

_____ éléphants

❓ Le quiz des mots en MOU

Tous les mots correspondant aux définitions ci-dessous contiennent la syllabe MOU. Inscris les réponses dans les cases et avec les lettres des cases grises tu auras le nom du vent qui souffle sur l'Asie tropicale et apporte la pluie.

1. Animal de montagne.

2. Contraire de haine.

3. Il a des ailes.

4. Elle pousse sur les pierres parfois.

5. Il pique.

6. D'Artagnan en était un.

7. Il est couvert de laine.

Le vent qui souffle sur
l'Asie tropicale et apporte la pluie : _____ _____ _____ _____ _____ _____ _____ _____

◉ Les statues asiatiques

Observe bien ces deux statues pour découvrir les 12 différences qu'il y a entre elles.

② Mots codés

D'abord, réponds aux questions en inscrivant les réponses sur les tirets. Ensuite, reporte les lettres appropriées sur les tirets du mot secret (une lettre correspond toujours au même nombre), et tu obtiendras le nom d'un seigneur indien.

1. Très gros arbre. __ __ __ __ __ __
                 5   2   9   5   2   5

2. Félin d'Amérique du Sud. __ __ __ __ __ __
                          6   2   8   11   2   7

3. La plus haute chaîne de montagnes du monde. __ __ __ __ __ __ __ __
                                     10   1   15   2   12   2   26   2

4. Mammifère d'Australie. __ __ __ __ __ __ __ __ __
                  19   2   4   8   9   11   7   9   11

5. Capitale de l'État d'Israël. __ __ __ __ __ __ __ __ __
                      6   13   7   11   25   2   12   13   15

6. Gros crustacé. __ __ __ __ __ __
            10   9   15   2   7   16

7. Mammifère voisin du chameau. __ __ __ __ __ __ __ __ __ __
                      16   7   9   15   2   16   2   1   7   13

8. Pays d'Asie dont la capitale est Phnom Penh. __ __ __ __ __ __ __ __
                                 3   2   15   5   9   16   8   13

9. Construction ancienne qu'on trouve en Égypte. __ __ __ __ __ __ __ __
                             17   26   7   2   15   1   16   13

© Les éditions Héritage inc. 1999

Le nom du seigneur indien : __ __ __ __ __ __ __ __ __
                         15   2   10   2   7   2   6   2   10

◉ Fouillis de formes

Combien de fois retrouves-tu cette figure dans ce fouillis de formes?

Ⓜ Les «Scrabouilleurs»

Voici sept lettres dont la valeur est indiquée à droite. Essaie de trouver des noms qui donneront le nombre de points indiqué dans les cases en ne te servant de chaque lettre qu'une seule fois par mot.

C6	H7	M9	A8	E4	U1	D3

34

24

21

10

13

11

35

25

√x̄ Du coq à l'âne

Quel animal plus léger que l'âne doit aller dans le plateau de la balance 4 ?

🅣🅜 Mots à compléter

De nombreuses plantes dans le monde sont utilisées pour rehausser le goût des mets. Complète le nom des épices suivantes en plaçant aux bons endroits les groupes de lettres de la colonne de droite.

1. co ___ ___ ___ ndre   umi

2. po ___ ___ ___ e   ria

3. c ___ ___ ___ ___ n   afr

4. cu ___ ___ ___ ma   ivr

5. s ___ ___ ___ an   rcu

6. mu ___ ___ ___ de   nne

7. mo ___ ___ ___ rde   iro

8. ca ___ ___ ___ lle   sca

9. ___ ___ ___ ille   uta

10. g ___ ___ ___ fle   van

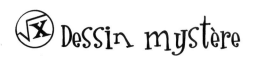

Dessin mystère

Trouve dans cette grille chacune des suites ci-dessous. Elles sont toutes écrites de gauche à droite ou de haut en bas, jamais en diagonale. Un symbole peut servir plus d'une fois. Avec les symboles qui restent, tu pourras découvrir la ville mystère.

Code :

A I H G N S

Ville mystère : ___ ___ ___ ___ ___ ___

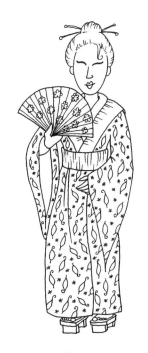

◉ Les masques

Parmi ces six masques chinois, trouve celui qui possède au moins une caractéristique de chacun des cinq autres ?

1

2

3

4

5

6

Les ombres chinoises

Laquelle de ces six ombres est celle du dragon ?

C'est le nouvel an chinois! On a sorti le grand dragon coloré. Mais des enfants malicieux ont dissimulé un peu partout 20 fusées de feux d'artifice. Trouve-les vite avant qu'elles n'explosent!

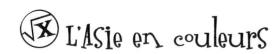 L'Asie en couleurs

Voici une carte simplifiée de l'Asie. D'après toi, quel est le nombre minimum de couleurs qu'il te faudrait pour colorier cette carte sans que jamais deux pays qui se touchent ne soient de la même couleur ? À tes crayons !

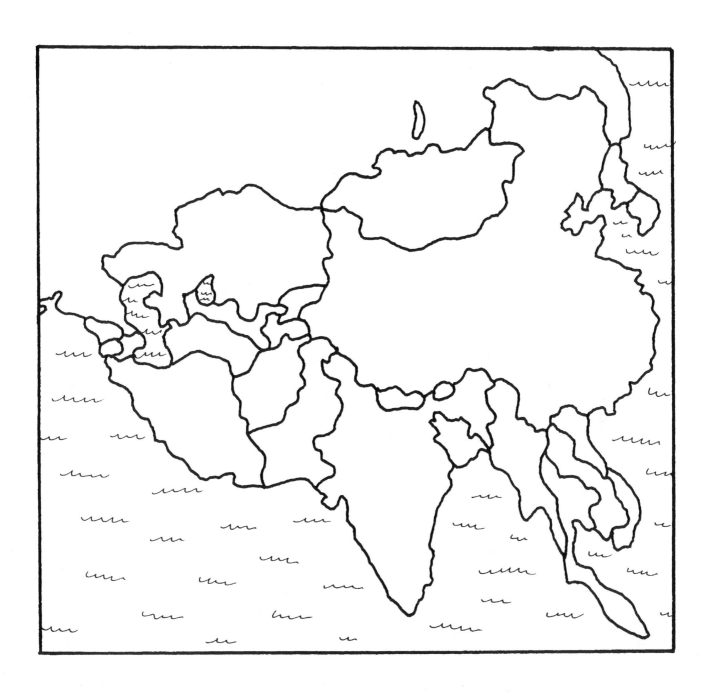

Supergrille: animaux d'Asie

Tous les mots de la liste ci-dessous sont des noms d'animaux d'Asie. Place-les dans la grille.

Mots à placer :
- 3 lettres : rat
- 4 lettres : ours
- 5 lettres : calao, cobra, lémur, panda, singe, tapir, tigre, varan
- 6 lettres : dragon, dugong, fourmi, python, souris
- 7 lettres : léopard, macaque, termite
- 8 lettres : éléphant, pangolin, panthère, sanglier
- 9 lettres : crocodile, roussette
- 10 lettres : babiroussa, chevrotain, rhinocéros

54

Perdu dans la pagode

Aide le prêtre bouddhiste à trouver la sortie.

Trouve dans la grille les 12 mots se rapportant à la mer de la liste ci-dessous. Ils peuvent être écrits horizontalement, verticalement ou en diagonale, de gauche à droite et inversement. En mettant bout à bout les lettres qui restent, tu pourras former le mot mystère.

É	C	U	M	E	F	N	O
T	C	V	A	U	O	F	C
Y	A	A	B	Y	S	S	E
P	P	G	R	A	S	G	A
H	O	U	L	E	E	E	N
O	T	E	M	P	E	T	E
N	R	O	C	H	E	R	S
R	E	C	I	F	I	L	E

Mots à trouver :

abysse, cap, écume, fosse, houle, île, océan, récif, rocher, tempête, typhon, vague.

Mot mystère : _____ _____ _____ _____ _____ _____

Des îles sous le vent

Ces petits atolls du Pacifique sont battus par une forte tempête et, en plus, leur volcan vient d'entrer en éruption. Vite, trouve les 10 différences entre les deux îles !

Des mots d'Australie

À partir des lettres du mot AUSTRALIE, compose des mots de quatre lettres et plus. Tu ne peux utiliser chaque lettre qu'une seule fois par terme nouveau; ainsi tes mots peuvent contenir deux A, mais un seul E. Combien de mots réussiras-tu à trouver? (Le nombre de lignes pour chaque colonne ne correspond pas nécessairement au nombre de mots qu'on peut trouver. Fais de ton mieux!)

A U S T R A L I E

4 lettres	5 lettres	6 lettres	7 lettres	8 lettres
____	____	____	____	____
____	____	____	____	____
____	____	____	____	____
____	____	____	____	____
____	____			
____	____			
____				
____				

❓ Les petits génies en balade

Si tu réussis à répondre à toutes ces questions, bravo! Tu es un as!

1. Quel oiseau sert d'emblème aux États-Unis? _____

2. À quel arbre appartient la feuille sur le drapeau canadien?
   _____

3. Quel pays d'Europe a la forme d'une botte? _____

4. Comment appelle-t-on le bâtiment qui sert de lieu de culte aux Musulmans?
   _____

5. Si on se baigne dans la mer Morte, on flotte sans faire aucun effort.
   Pour quelle raison? _____

6. Comment s'appelle le plus grand désert du monde?
   _____

7. Quelle chauve-souris d'Amérique du Sud
   suce le sang des mammifères?
   _____

8. Quel est le plus gros poisson du monde?
   _____

9. Quel est le plus lent de tous
   les mammifères terrestres?
   _____

10. Il a un bec de canard, il pond
    des œufs, et pourtant il allaite
    ses petits. Qui est-ce?
    _____

© Les éditions Héritage inc. 1999

Maths et mots

Résous d'abord tous les problèmes, puis inscris les nombres obtenus en ordre croissant de grandeur (du plus petit au plus grand) sur la première série de tirets au bas. Sur la seconde série de tirets, inscris la lettre de la question à laquelle correspond chaque réponse. Tu verras alors apparaître parmi ces lettres un mot relatif aux volcans.

A. Nombre d'éléments dans une paire =   _____

B. 30 dizaines =   _____

C. Nombre de pattes chez la fourmi =   _____

D. Nombre d'enfants dans un groupe de quadruplés =   _____

E. (40 + 24) ÷ 2 =   _____

F. 4 centaines + 5 dizaines + 0 unité =   _____

G. 20 X 20 =   _____

H. L'âge minimum qu'il faut avoir pour voter =   _____

I. 100 + 14 =   _____

J. Nombre de jours dans deux semaines =   _____

K. Nombre de pattes chez l'araignée =   _____

L. Nombre d'années dans un millénaire =   _____

M. La moitié de 20 =   _____

N. 1 centaine + 10 dizaines =   _____

O. 18 dizaines =   _____

P. 40 + 40 + 3 =   _____

Q. 333 X 3 =   _____

R. Nombre d'heures dans deux jours =   _____

S. Nombre de pattes chez le serpent =   _____

T. Nombre de cents dans un dollar =   _____

U. Nombre de jours en avril + nombre de jours en mai =   _____

_____

les nombres en ordre croissant

_____

les lettres correspondantes

Mot mystère: Volcan en Vue!

Trouve dans la grille tous les mots de la liste. Une lettre peut servir plus d'une fois.

Attention : certains mots sont au pluriel. Avec les 9 lettres qui restent, tu auras le nom d'un volcan des Antilles.

S	C	E	E	L	U	O	C	S	L
O	H	B	O	U	E	R	S	E	A
U	E	M	O	U	A	F	R	R	V
F	M	O	N	T	A	G	N	E	E
R	I	B	E	E	R	R	E	I	P
E	N	R	U	E	P	A	V	S	I
E	E	C	E	N	D	R	E	S	R
S	E	L	L	O	R	E	M	U	F
E	M	S	I	N	A	C	L	O	V
E	R	U	P	T	I	O	N	P	E

Mots à trouver :

bombe, boue, cendres, cheminée, cratère, coulée, éruption, fumerolles, lave, montagne, pierre, poussières, soufre, vapeur, volcanisme.

Mot mystère : ___ ___ ___ ___ ___ ___ ___ ___ ___

Qu'est-ce qui cloche au fond de l'eau?

Ces eaux abritent une multitude de plantes et d'animaux. Mais parmi eux se cachent 12 éléments insolites. Les vois-tu?

D'île en île

Aide le voyageur à passer d'un atoll à l'autre pour atteindre le continent. Choisis un élément sur son bateau, puis essaie de retrouver le même sur une des îles. Une fois sur cette île, choisis un élément qui s'y trouve et saute sur l'île où tu vois le même, et ainsi de suite, jusqu'au continent. Indique par un chiffre l'ordre de chaque île (le 1 est déjà inscrit à côté du bateau).

Supergrille: la faune d'Océanie

Les 24 mots de la liste ci-dessous sont des noms d'animaux qu'on retrouve en Australie, en Nouvelle-Zélande et ailleurs en Océanie. Essaie de les placer tous dans la grille.

Mots à placer :

   3 lettres : rat

   4 lettres : émeu, kiwi

   5 lettres : dingo, koala, lapin, varan

   6 lettres : busard, casoar, mygale, wombat

   7 lettres : échidné, opossum, wallaby

   8 lettres : cacatoès, couscous, scorpion

   9 lettres : carnivore, kangourou, phalanger

10 lettres : herbivores, marsupiaux, oiseau-lyre

13 lettres : ornithorynque

◉ Seuls et uniques!

Dans cette grille, il y a six éléments qui sont seuls dans leur rangée et seuls dans leur colonne. Trouve-les!

√x̄ Les chasseurs

Lis la phrase ci-dessous, puis choisis parmi les phrases A, B, C ou D celle qui s'y rapporte le mieux.

Certains aborigènes savent chasser. Tous les chasseurs ont appris à lancer un boomerang, mais certains préfèrent se servir d'une lance.

A. Les bons chasseurs chassent au boomerang.
B. Certains aborigènes se servent d'une lance.
C. Les aborigènes savent tous chasser.
D. Les bons chasseurs savent se servir d'une lance.

Avec les lettres du mot BOOMERANG, essaie de former des mots de trois lettres et plus. Chaque lettre ne doit servir qu'une fois pour chaque nouveau mot; ainsi tes mots peuvent contenir deux O, mais un seul A. (Le nombre de lignes pour chaque colonne ne correspond pas nécessairement au nombre de mots qu'on peut trouver.)

B O O M E R A N G

3 lettres	4 lettres	5 lettres	6 lettres
_____	_____	_____	_____
_____	_____	_____	_____
_____	_____	_____	_____
_____	_____	_____	_____
_____	_____	_____	_____
_____	_____	_____	_____
_____	_____	_____	_____
_____	_____	_____	_____
_____	_____	_____	_____

Objets à trouver: perdus dans le Pacifique

Ces joyeux naufragés ne respectent vraiment pas l'environnement. Trouve les 12 boîtes de conserve qu'ils ont négligemment laissées traîner.

✓x̄ Pas bêêêtes!

La Nouvelle-Zélande est le pays du mouton. Dans ce champ, sept brebis paissent en compagnie de leurs agneaux. Avec trois clôtures bien droites, le berger doit séparer les brebis les unes des autres, tout en s'assurant que chaque brebis a un agneau avec elle. Montre-lui comment s'y prendre en traçant trois lignes droites.

✓x̄ Le mouton noir

Michael le marchand veut vendre ses moutons. Observe bien les quatre premiers groupes de moutons. Es-tu capable de déduire quel sera le prix du mouton noir du cinquième groupe?

Chacune des séries de mots ci-dessous contient un mot caché. Pour le trouver, choisis dans chaque mot deux lettres qui se suivent, puis mets-les bout à bout. Aide-toi des indices.

Exemple :
TALC
BLEU
SEAU
FEUX
Solution : tableaux

1. Indice : aventure
   VOIX
   YACK
   LUGE

   ___ ___ ___ ___ ___ ___ ___

2. Indice : nappe d'eau stagnante
   AMAS
   DRAP
   MISE

   ___ ___ ___ ___ ___ ___

3. Indice : ville où siège
   le gouvernement d'un pays
   CANE
   PIED
   ÉTAT
   PILE

   ___ ___ ___ ___ ___ ___ ___ ___

4. Indice : celle du bouleau est blanche
   ÉCHO
   FORT
   CERF

   ___ ___ ___ ___ ___ ___

5. Indice : un très gros arbre d'Afrique
   BANC
   ROBE
   ABAT

   ___ ___ ___ ___ ___ ___

6. Indice : il n'y pousse presque rien
   IDÉE
   SERF
   SORT

   ___ ___ ___ ___ ___ ___

7. Indice : un cours d'eau
   FLIC
   ÉMEU
   VERT

   ___ ___ ___ ___ ___ ___

8. Indice : un lieu plat
   PLAN
   TAIN
   NERF

   ___ ___ ___ ___ ___ ___

© Les éditions Héritage inc. 1999

Mot mystère : à l'abri!

Trouve les mots de la liste dans la grille, en gardant les plus petits pour la fin. Ils peuvent être écrits horizontalement, verticalement ou en diagonale. Une lettre peut servir plus d'une fois. Avec les 11 lettres qui restent, tu obtiendras le mot mystère.

C	S	M	A	E	C	I	F	I	D	E
H	I	B	A	R	A	Q	U	E	I	D
A	G	M	C	H	A	L	E	T	S	I
U	O	T	M	L	H	U	T	T	E	N
M	L	O	L	E	Y	O	S	E	U	E
I	N	I	N	O	U	E	I	M	A	S
E	V	T	U	T	T	B	A	P	E	S
R	E	R	U	S	A	M	L	L	T	I
E	T	H	O	T	E	L	A	E	A	T
E	E	N	A	B	A	C	P	E	H	A
P	A	G	O	D	E	S	A	C	C	B

Mots à trouver :

baraque, bâtisse, cabane, case, chalet, château, chaumière, édifice, hôtel, hutte, immeuble, logis, masure, nid, pagode, palais, temple, toit, villa, yourte.

Mot mystère : _____ _____ _____ _____ _____ _____ _____ _____ _____ _____ _____

Le quiz des mots en MAN

Tous les mots correspondant aux définitions suivantes commencent par MAN. Trouve-les et avec les lettres des cases grises, tu auras le nom d'un animal de l'Antarctique.

1. Levier.

2. On le met quand il fait froid.

3. Pièce buccale chez certains insectes

4. Le balai en a un, la chemise en a deux.

5. Rouleau de fourrure où l'on met les mains.

6. Divinité amérindienne.

7. Gros insecte, cousin de la sauterelle.

Solution : _____ _____ _____ _____ _____ _____ _____

Syllabes en série

Chaque case de cette grille contient une syllabe. Traverse la grille en composant des mots de deux syllabes et en ne te déplaçant qu'à l'horizontale ou à la verticale.

entrée →

BOU	KO	DE	SOB	DI	ME	BUL	VE
TON	TE	TU	MA	BON	RUT	TI	RE
FRO	BU	MEUR	LI	CHA	JAM	SOR	TRE
ANT	FOR	TRI	BU	REU	SA	FIR	VI
FRE	LE	PA	SE	LON	SIR	DAR	SER
SON	AR	CIL	LAC	GUE	RI	RE	PAS

→ sortie

™ Fouillis de ficelles

Relie chaque lettre à sa bulle et tu obtiendras le nom de la plus grande plateforme de glace flottante du monde, qui se trouve en Antarctique.

A   A   E   E   I   O   L   B   S   S   Q   N   U   R   D   S

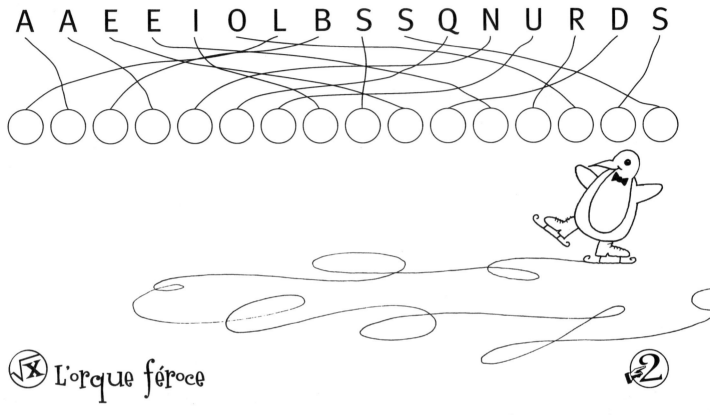

√x̄ L'orque féroce ②

L'orque Croc a englouti 20 proies aujourd'hui : 7 crevettes de plus que de manchots, 8 crevettes de plus que de phoques, 5 crevettes de plus que de poissons et cinq fois plus de crevettes que de phoques.
Combien de crevettes, de phoques, de poissons et de manchots a-t-il avalés ?

_____ crevettes

_____ phoques

_____ poissons

_____ manchots

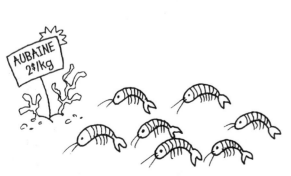

◉ Le casse-tête casse-pipe

Deux des pièces ne peuvent servir à terminer le casse-tête. Les vois-tu?

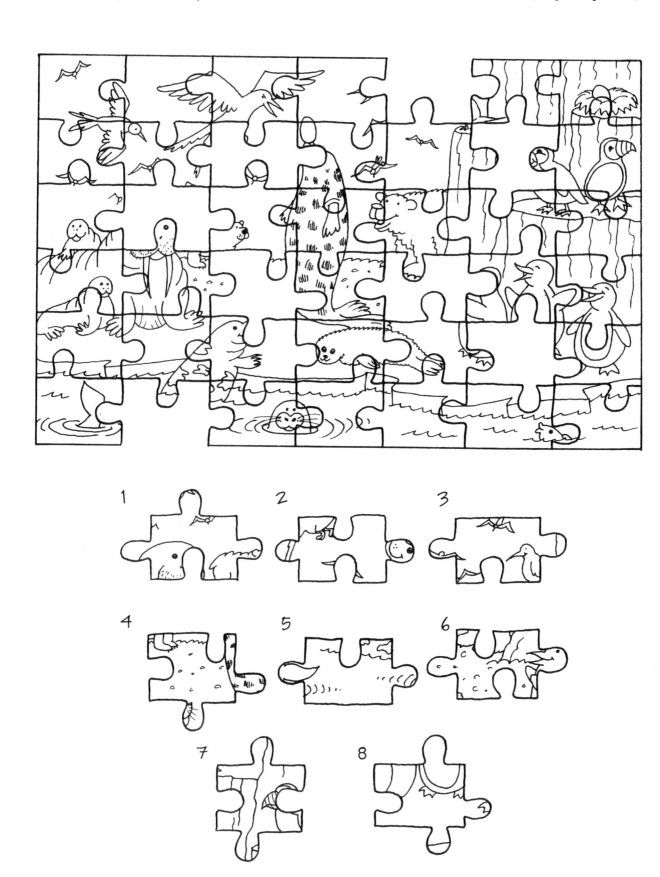

 Quatre et plus

Colorie en brun ou en gris les cases marquées d'un multiple de 4 et découvre ce que cache cette grille.

5	3	5	17	1	7	1	4	5	9	21	5	2	21	1	9	5	1	1	21	11	6	13	2	9	1	7	11	2
9	5	4	20	8	24	1	20	24	7	9	9	1	1	13	18	2	6	2	9	6	11	5	9	1	5	21	7	9
17	20	8	16	24	12	16	8	16	2	2	1	10	5	2	13	9	1	9	17	7	1	2	11	18	9	2	2	13
1	8	16	11	11	7	2	16	24	5	13	2	9	13	6	9	5	11	11	6	6	13	1	2	9	21	9	21	7
5	1	9	1	17	9	1	12	12	3	10	17	6	6	1	3	2	21	4	8	16	2	11	13	6	2	15	13	9
7	9	6	15	2	7	1	20	24	1	9	3	9	1	2	2	3	8	24	4	8	4	2	6	2	13	5	3	13
2	1	5	15	9	1	6	24	16	2	6	5	17	1	3	17	12	24	20	12	16	8	20	9	21	9	5	5	2
1	2	11	1	21	13	13	16	16	12	2	1	13	13	1	24	12	20	16	12	16	12	4	8	13	5	3	21	13
9	1	17	9	5	2	9	20	8	24	20	3	1	3	20	24	4	20	8	12	16	24	4	4	24	9	2	10	9
7	6	3	2	6	9	6	4	4	20	4	16	24	4	12	12	24	4	12	20	12	16	4	20	16	8	9	18	13
9	11	1	17	13	9	1	15	8	16	12	12	8	16	24	16	16	24	20	24	4	28	8	16	12	16	12	3	3
6	1	2	14	1	6	9	1	2	8	24	4	4	12	4	8	12	12	8	12	20	8	16	12	8	4	2	8	2
11	2	6	2	3	9	1	14	11	14	12	4	8	4	20	4	12	8	20	16	4	12	16	20	24	8	18	15	4
5	15	5	1	7	1	6	9	1	6	9	8	4	12	4	20	8	24	24	16	24	8	8	4	4	16	3	5	15
11	7	17	15	9	5	11	13	10	9	10	13	8	4	16	20	16	16	4	12	16	4	8	20	16	20	5	21	14
10	9	14	9	15	2	9	2	14	13	15	9	4	20	12	10	8	24	8	4	4	12	12	8	12	8	2	14	3
11	1	15	17	1	5	1	6	11	6	9	4	12	4	5	17	7	1	10	9	13	10	20	20	16	4	4	2	2
7	15	14	11	7	9	17	13	9	7	12	20	4	9	1	10	9	5	21	1	9	13	9	8	4	8	20	12	3
9	21	2	5	17	15	7	9	11	4	20	9	7	17	9	7	8	10	9	2	10	5	1	1	14	10	16	24	16
9	14	9	9	1	11	1	15	4	4	4	24	12	4	12	24	12	9	17	8	24	4	4	20	8	16	24	16	16
7	7	9	21	15	14	5	1	17	9	14	5	1	15	17	5	7	1	14	21	15	14	5	21	3	5	3	5	3

La grille du pharaon

Traverse cette grille en n'utilisant que les lettres du mot PHARAON. Commence dans le coin supérieur gauche et déplace-toi horizontalement ou verticalement, jamais en diagonale.

entrée →

P	U	D	E	B	C	E	D	E	D	G	T	U	T
R	A	W	M	P	O	N	M	B	U	T	H	P	H
I	H	G	B	R	Q	H	R	A	M	C	R	B	C
M	N	A	T	H	T	T	C	O	C	O	O	Q	T
M	Q	O	P	O	Q	P	H	N	M	N	C	Q	G
D	C	U	Q	B	D	A	M	M	T	P	B	D	M
V	D	L	O	Q	B	R	N	O	A	H	B	Q	T
G	L	K	C	F	E	D	K	C	M	T	K	M	L

→ sortie

Quel triangle!

Combien y a t-il de triangles dans cette figure?

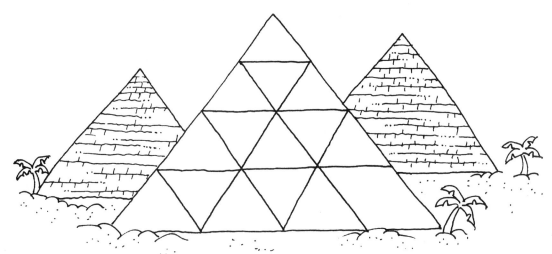

⊙ Des dés sens dessus dessous

Un seul de ces quatre dés ne correspond pas au dé déplié. Lequel?

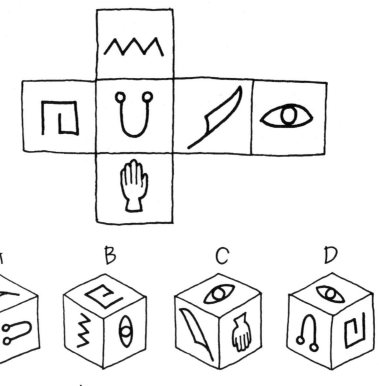

√x̄ Les symboles secrets

Chacun de ces symboles représente un chiffre de 1 à 6. Trouve la valeur de tous les symboles.

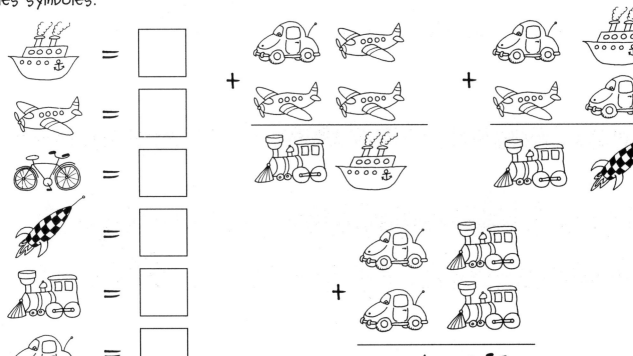

◉ Labyrinthe

La gazelle doit traverser la savane en évitant les prédateurs. Aide-la un peu !

Alerte dans les hautes herbes!

Attention! Les herbes de cette savane cachent trois puissants prédateurs. Trouve-les vite avant qu'ils n'attaquent le troupeau en démêlant les lettres qui forment leurs noms!

Des fils affolants

Pour connaître le nom de la plus haute montagne d'Afrique, il te suffit de relier chaque lettre à sa bulle.

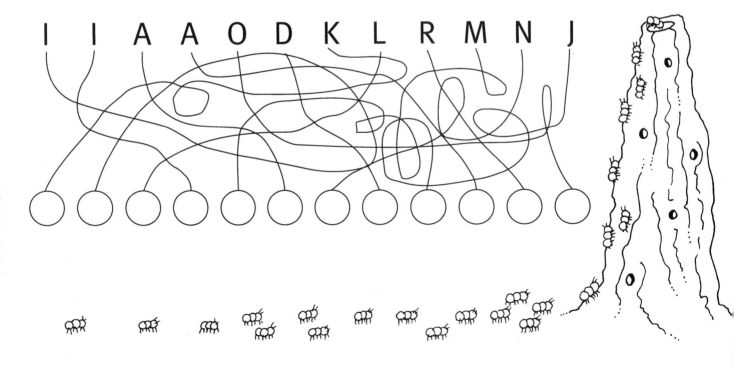

En te servant des indices, trouve à qui appartient chacune des cases de ce petit village tanzanien. Un truc : sur une grande feuille, écris les noms des neuf personnages à côté de chaque case et raye-les au fur et à mesure que tu lis et relis les indices (ainsi, si l'indice 2 dit qu'il y a un arbre près de la maison d'Esta, les cases B, F, G et H ne peuvent pas être à elle).

Les habitants :
Manka, Lydia, Yapoyo, Swelali, Esta, Daniel, Nicodému, Tumaïni et Ngidaha.

Indices :
1. La case de Manka est bordée par celle de Lydia et celle de Tumaïni.
2. Il y a un arbre près de la case d'Esta.
3. La case de Lydia est sous celle de Swelali.
4. Il n'y a pas d'arbre près de la case de Lydia.
5. La case de Yapoyo est bordée par celles d'Esta et de Swelali.
6. Il y a un arbre près de la case de Swelali.
7. La case de Ngidaha est sous celle de Tumaïni.
8. La case de Daniel est bordée par celle de Nicodému et celle de Ngidaha.

Mot mystère: singes et compagnie

Trouve tous les mots de la liste dans la grille. Une lettre peut servir plus d'une fois. Avec les sept lettres qui restent, tu obtiendras un mot... mystère.

C	H	I	M	P	A	N	Z	E	P	D
O	A	O	U	I	S	T	I	T	I	O
L	M	E	U	Q	A	C	A	M	R	U
O	A	L	N	I	C	U	P	A	C	R
B	D	L	H	I	I	E	M	A	T	O
E	R	I	U	R	E	L	E	T	A	U
L	Y	R	R	A	R	L	P	I	R	C
O	A	D	L	K	U	I	O	N	S	O
R	S	N	E	A	M	R	T	D	I	U
I	T	A	U	U	E	O	T	R	E	L
S	E	M	R	O	L	G	O	I	R	I

Mots à trouver :

atèle, capucin, chimpanzé, colobe, douroucouli, gorille, hamadryas, hurleur, indri, lémur, loris, macaque, mandrill, ouakari, ouistiti, potto, tarsier.

Mot mystère : ___ ___ ___ ___ ___ ___ ___

Résous d'abord tous les problèmes, puis inscris les nombres obtenus EN ORDRE CROISSANT DE GRANDEUR sur la première série de tirets. Sur les tirets en dessous, écris la lettre de la question correspondant à chaque nombre. (Par exemple, si la réponse à la question A était 3, tu écrirais A sous le 3.) À la fin, tu verras apparaître au milieu des lettres le nom d'un sympathique oiseau.

A. Nombre de pattes chez 8 araignées = _____

B. (21 + 6) ÷ 9 = _____

C. Nombre d'années dans un demi-siècle = _____

D. Nombre de côtés dans un octogone = _____

E. Surface d'un carré de 4 cm de côté = _____

F. Le cinquième nombre pair = _____

G. Surface d'un rectangle de 5 cm X 3 cm = _____

H. Douze douzaines = _____

I. (48 + 12) ÷ 2 − 10 = _____

J. Température à laquelle l'eau gèle = _____ °C

K. Nombre de pattes chez 60 poulets et 4 cochons = _____

L. Nombre d'années dans un demi-millénaire = _____

M. Nombre de centimètres dans 4 m = _____

N. Température à laquelle l'eau bout = _____ °C

O. Nombre de jours dans le mois d'avril = _____

P. Nombre de secondes dans 1 heure = _____

Q. Nombre d'yeux chez la mouche = _____

R. Nombre de pattes chez le zèbre = _____

S. (366 + 124) ÷ 2 = _____

T. Nombre de semaines dans une demi-année = _____

U. Nombre de pattes chez 6 fourmis = _____

_ _

les nombres en ordre croissant

_ _

les lettres correspondantes

D'une lettre à l'autre

En partant de la lettre R, en haut, déplace-toi d'une lettre à l'autre en diagonale puis à l'horizontale alternativement jusqu'à ce que tu obtiennes le nom d'un animal formé de 10 lettres. Chaque lettre ne peut servir qu'une seule fois.

C	R	B	A
H	I	C	R
N	O	E	O
R	F	S	U

À la chasse aux consonnes

Avec les neuf consonnes (que tu peux utiliser plus d'une fois) ci-dessous, complète ce dicton dont tu t'es sûrement déjà servi !

Q P L R C V H S D

__UI __A À __A __ __A __E,

__E__ __A __ __A__E !

Tout semble paisible dans la grande prairie du parc national. Les lions font la sieste et les troupeaux peuvent brouter en toute quiétude. Mais l'œil du photographe a noté 10 détails bizarres. Les vois-tu aussi?

Chacune des séries de mots ci-dessous contient le nom d'une capitale. Pour le trouver, choisis dans chaque mot deux lettres qui se suivent, puis mets-les bout à bout. Les indices t'aideront sûrement et rien ne t'empêche de te servir d'un atlas !

Exemple :
BROC
CASE
CILS
PLIA
Solution : Brasilia

1. Indice : en Ontario
   NOTE
   TAIE
   WATT

   ___ ___ ___ ___ ___ ___ ___

2. Indice : en Afghanistan
   KAKI
   BOUE
   MULE

   ___ ___ ___ ___ ___ ___

3. Indice : en Russie
   MOIS
   SCIE
   POUX

   ___ ___ ___ ___ ___ ___

4. Indice : au Chili
   SANG
   PONT
   MIAM
   GOÛT

   ___ ___ ___ ___ ___ ___ ___ ___

5. Indice : en Irlande
   DURE
   BLEU
   FINE

   ___ ___ ___ ___ ___ ___

6. Indice : en Espagne
   MARI
   DRUE
   IDÉE

   ___ ___ ___ ___ ___ ___

7. Indice : au Pérou
   LIME
   AMAS

   ___ ___ ___ ___

8. Indice : en République tchèque
   PRIX
   NAGE
   NUES

   ___ ___ ___ ___ ___ ___

 Mot mystère: en route!

Trouve dans la grille les 18 mots de la liste. Une lettre peut servir plus d'une fois. Les sept lettres qui restent te donneront le mot mystère. Un petit conseil: garde les mots les plus courts pour la fin.

P	B	O	U	L	E	V	A	R	D
E	I	C	E	S	T	A	V	A	E
I	S	S	U	E	U	L	E	C	T
O	U	H	T	E	O	L	N	C	O
V	B	U	M	E	R	E	U	O	U
I	O	L	E	V	O	E	E	U	R
R	T	S	E	N	T	I	E	R	D
U	U	N	F	E	U	X	S	C	U
E	A	V	I	R	A	G	E	I	S

Mots à trouver :

allée, autobus, autoroute, avenue, boulevard, détour, est, feux, issue, piste, raccourci, route, rue, sentier, sud, vélo, virage, voie.

Mot mystère : ___ ___ ___ ___ ___ ___ ___

Combien de mots de cinq lettres et plus peux-tu trouver dans cette grille? Tu peux circuler d'une alvéole à l'autre dans n'importe quel sens et utiliser plusieurs fois la même lettre. Mais ne saute pas d'alvéole et n'utilise pas 2 fois de suite la lettre d'une même alvéole! Par exemple, tu ne pourrais pas écrire MOTARD ni TERRE.

Des mots à la pelle

Ces pelles contiennent huit produits qu'on extrait du sol. Pourras-tu reconstituer les noms de ces produits en associant les pelles par deux ou trois ?

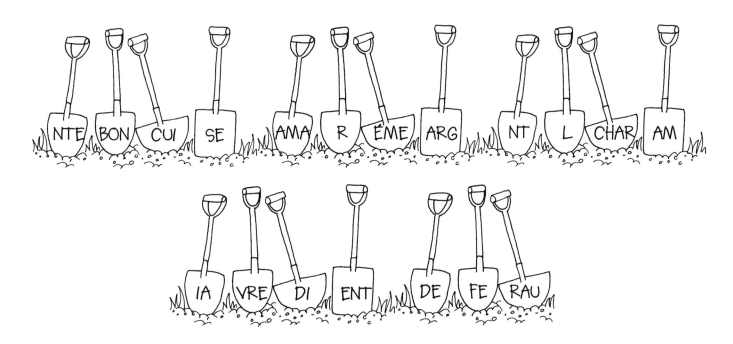

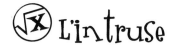 L'intruse

Parmi ces lettres se trouve une intruse. Vois-tu laquelle ?

A   F   N   K   Z   E

Le secret de l'agent

Décrypte le message de cet agent secret avant qu'il ne parvienne à l'ennemi! Sers-toi vite du code!

A C D E F G H I L M N O P Q R S T U V

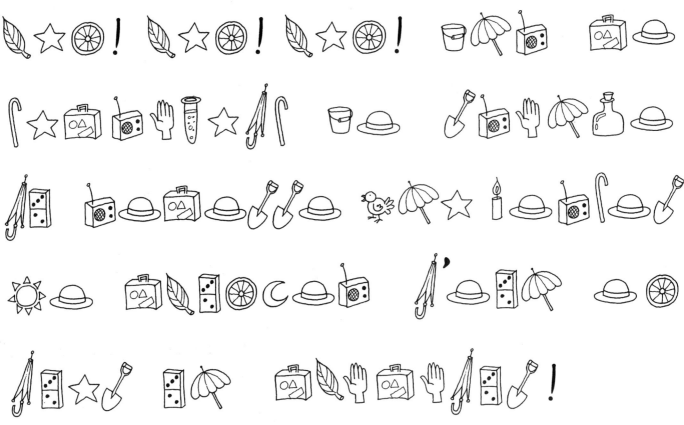

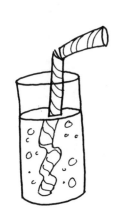

Expressions en images

À quelles expressions connues te font penser les dessins ci-dessous ?

1.

2.

3.

4.

5.

6.

7.
HA!
HA!
HA!

8.

❓ Incroyable, mais vrai!

1. Mawsynram, en Inde, est l'endroit le plus arrosé du globe. Combien reçoit-il de pluie par année ?
   ❑ 1 m   ❑ 6 m   ❑ 12 m

2. Le désert d'Atacama, au Chili, est l'un des endroits les plus secs de la planète. Il y tombe en moyenne une averse tous les :
   ❑ 10 ans   ❑ 5 ans   ❑ 2 ans

3. La plus longue sécheresse s'est produite dans le désert d'Atacama. Elle a duré :
   ❑ 50 ans   ❑ 100 ans   ❑ 400 ans

4. Le baobab, ce gros arbre d'Afrique, peut retenir dans son tronc l'équivalent de :
   ❑ 20 baignoires d'eau   ❑ 200 baignoires d'eau   ❑ 500 baignoires d'eau

5. Le plus gros grêlon observé avait un diamètre de :
   ❑ 6 cm   ❑ 9 cm   ❑ 19 cm   ❑ 30 cm

6. Le désert du Sahara est presque aussi grand que :
   ❑ les États-Unis   ❑ le Québec   ❑ l'Inde

7. Le tamanoir vit en Amérique du Sud et se nourrit de fourmis et de termites. Chaque jour, il peut en manger :
   ❑ 1000   ❑ 20 000   ❑ 30 000   ❑ 100 000

8. Quel pourcentage de son existence le paresseux, mammifère d'Amérique du Sud, passe-t-il à dormir ?
   ❑ 80 %   ❑ 70 %   ❑ 60 %

9. Le caoutchouc est fabriqué à partir :
   ❑ de graisse de baleine   ❑ de pétrole   ❑ de la sève d'un arbre

10. Lequel de ces groupes constitue 80 % du poids total de tous les animaux terrestres du globe ?
    ❑ les humains   ❑ les vers de terre   ❑ les reptiles

√X̄ une image de trop

Parmi ces six images se cache une petite intruse. Sauras-tu la découvrir?

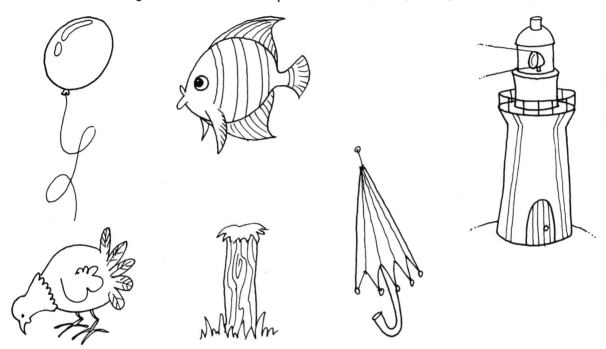

 DeVinettes en Vrac

1. Quel chat n'a ni oreilles, ni pattes, ni poils?

_____

2. Comment peux-tu obtenir 99 avec seulement trois 3?

_____

3. Sur quelles îles les chats préfèrent-ils prendre leurs vacances?

_____

4. Sur quelle voie ne circule-t-on jamais?

_____

5. Qu'est-ce qu'on obtient en croisant un éléphant avec un kangourou?

_____

6. Comment sais-tu qu'il y a un éléphant sous ton lit?

_____

© Les éditions Héritage inc. 1999

Animots

Quel nom d'animal dois-tu ajouter à chacune de ces paires de mots pour les compléter ?

1. g ___ ___ ___ ge
   ch ___ ___ ___ de

2. cer ___ ___ ___ ___
   cani ___ ___ ___ ___

3. escar ___ ___ ___ ___ ___ ___
   ___ ___ ___ ___ ___ ___ rolle

4. ___ ___ ___ ___ herie
   ___ ___ ___ ___ lier

5. arque ___ ___ ___
   cam ___ ___ ___

Penses-y bien !

1. À six heures et quart exactement, Suzie recule la petite aiguille de son réveil de quinze minutes et la grande aiguille de trente minutes. Quelle heure est-il, alors ?

2. On la trouve chez le gorille,
   Mais pas chez l'orang-outan.
   On la trouve dans la poire,
   Mais pas dans la mangue.
   On la trouve dans une niche,
   Mais pas dans une cage.
   Qu'est-ce que c'est ?

3. Le directeur de l'école interroge les jumelles Kim et Karine. Il sait que Kim dit toujours la vérité et que Karine ment toujours. Quelle question devra-t-il leur poser pour savoir qui est qui ?

√x̄ Du ver de terre au crotale

Une couleuvre est aussi longue qu'un ver de terre et une demi-couleuvre. Une scolopendre est aussi longue qu'une couleuvre et une demi-scolopendre. Un crotale est aussi long qu'une scolopendre et un demi-crotale. Combien peux-tu mettre de vers de terre dans un crotale?

√x̄ Le problème du menuisier

Le menuisier veut obtenir trois carrés seulement. Pour cela, il lui suffit d'ôter cinq vis. Mais lesquelles?

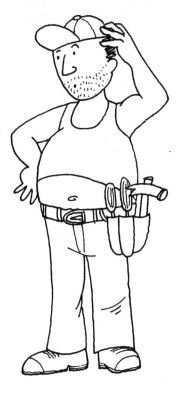

√x̄ Les carrés cachés

Combien vois-tu de carrés dans cette figure ?

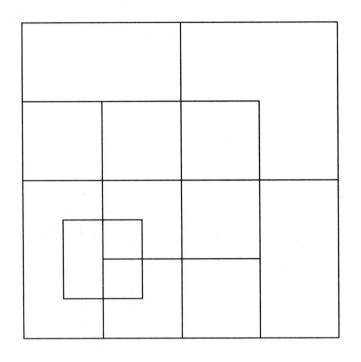

√x̄ Séries à finir

Complète les séries suivantes après en avoir observé les premiers éléments.

A. 22 25 29 34 40 47 _____

B. 2 4 5 10 11 _____

C.

D. A F B G C _____

E.

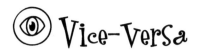

On a d'abord retourné cette figure en lui faisant faire un demi-tour de droite à gauche, puis on l'a tournée de 180° dans le sens contraire des aiguilles d'une montre. Laquelle des quatre figures ci-dessous est-elle devenue ?

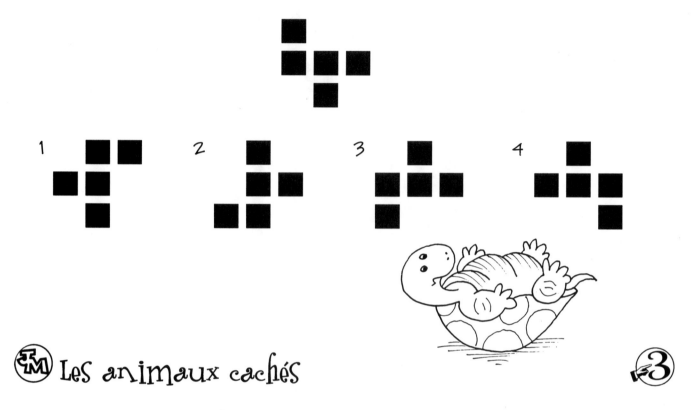

Les animaux cachés

Cinq animaux sont cachés quelque part dans ces deux phrases. Peux-tu les trouver ?

Sans arrêter de se bercer, Fernand dit à Paul que s'il est poli, on lui pardonnera toutes ses bêtises.

Après avoir éteint le gaz, elle a fait ce qu'elle a pu, mais le feu avait déjà fait fondre la casserole.

© Les éditions Héritage inc. 1999

En reproduisant le contenu de chacune des cases de la grille dans les cases correspondantes de la pancarte du bas, tu pourras lire un message.

 Ribambelle de rébus

1.  +  =

2. 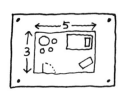 +  + 2 +  =

3.  +  +  =

4.  +  +  =

5. +  +  =

6.  +  =

7.  + O + =

Pareil, pas pareil!

Dans chacune de ces 10 séries de mots, se cachent deux termes qui ont un sens très proche. Sauras-tu les découvrir?

1. province   État   colonie   parlement   pays

2. tsunami   éruption   séisme   raz-de-marée   inondation

3. vallée   prairie   gorge   plateau   savane

4. falaise   rive   grève   plage   côte

5. marais   étang   mare   lac   delta

6. kilo   bottin   bouquin   dictionnaire   livre

7. paysan   agriculteur   foreur   horticulteur   tracteur

8. valise   boîte   sachet   caisse   fourreau

9. planète   galaxie   étoile   comète   astre

10. île   continent   péninsule   atoll   isthme

? charades en salade

A. Mon premier est un affreux rongeur.
   Mon deuxième est synonyme d'existence.
   Mon troisième est un liquide.
   Mon quatrième est là où tu te couches.
   Mon tout est un mets italien.

B. Mon premier suit J.
   Mon deuxième prend de la place dans ta chambre.
   Mon troisième n'est pas faible.
   Les oiseaux construisent mon quatrième.
   Mon tout est un État américain.

C. Mon premier tient les voiles.
   Mon deuxième dit que ce n'est pas vrai.
   Mon troisième n'est pas tard.
   Mon quatrième n'est pas haut.
   Mon tout est une province canadienne.

D. Mon premier est un petit amoncellement.
   Mon deuxième tient les voiles.
   Mon troisième est la couleur de la nuit.
   Mon tout est un mammifère d'Amérique du Sud.

E. Mon premier est le contraire de laide.
   Mon deuxième est une consonne.
   Mon troisième est longue chez le chat
   et courte chez le faon.
   Mon tout est un pays d'Europe.

F. Mon premier est un métal précieux.
   Mon deuxième a 365 jours.
   Mon troisième est un mois chaud.
   Mon quatrième est synonyme de moment.
   Mon tout est un grand primate.

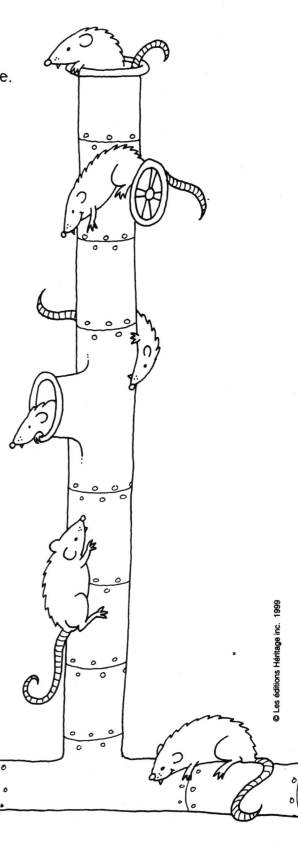

? colles pour les calés

1. Comment appelle-t-on les premiers habitants d'un pays ?
   ❑ des aborigènes ❑ des arborigènes ❑ des arbrigènes ❑ des indigènes

2. Dans quel pays actuel se trouve la Transylvanie, patrie du célèbre comte Dracula ?
   ❑ l'Italie ❑ la Roumanie ❑ les États-Unis

3. Comment s'appelle cet ensemble de gorges et de hauts plateaux de roches situé en Arizona, aux États-Unis ?
   ❑ le Grand Canyon ❑ le Grand Canon ❑ la Grande Faille ❑ le Grand Crayon

4. Quels animaux les Lapons élèvent-ils ?
   ❑ des rennes ❑ des éléphants ❑ des bisons ❑ des lapins

5. Qu'est-ce que le liège ?
   ❑ l'écorce d'un arbre ❑ du bois compressé ❑ un produit synthétique

6. Qu'est-ce que la samba ?
   ❑ une boisson à base de fruits ❑ une danse ❑ une épice très forte

7. Qu'est-ce qu'un rouble ?
   ❑ une pièce de monnaie russe ❑ un mammifère de Sibérie ❑ un poisson de la mer Caspienne

8. Certains Indonésiens habitent des maisons
   ❑ sur paillis ❑ sur pilotis ❑ sur piquets

9. Qu'est-ce qu'une sarbacane ?
   ❑ un genre de canne en bois dur ❑ une arme voisine du sabre ❑ une tige creuse servant à lancer des projectiles

10. Où danse-t-on le flamenco ?
    ❑ en Italie ❑ en Ouzbékistan ❑ en Espagne

 Salade d'été

Si la tomate vaut 8, combien vaut le champignon?

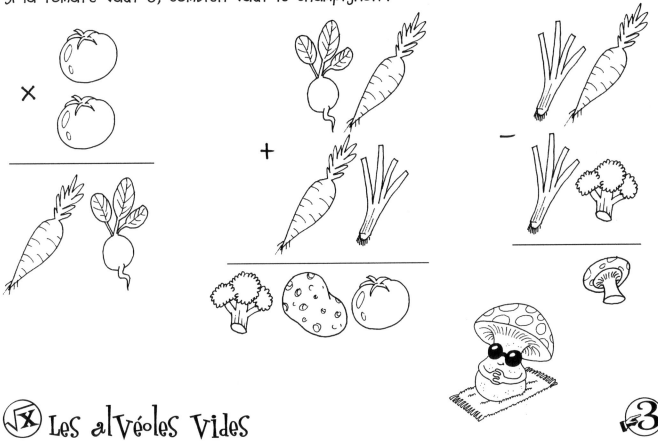

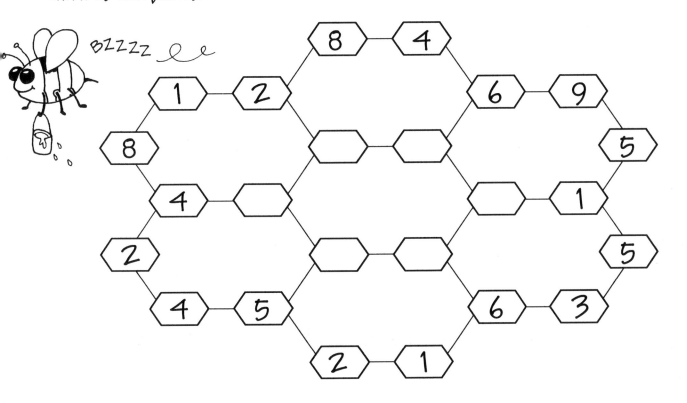 Les alvéoles vides

La somme des six chiffres de chacune des alvéoles doit être de 25. Trouve les chiffres manquants.

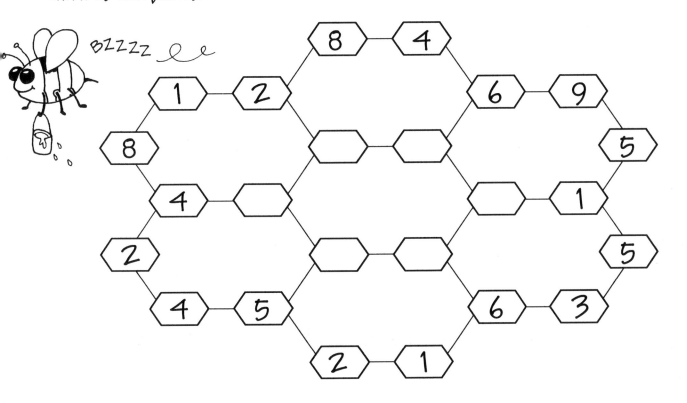

√x Marie et Maxime

Marie et Maxime ont 12 pommes à eux deux. Si Marie donnait une pomme à Maxime, il en aurait deux fois plus qu'elle. Mais si Maxime était assez généreux pour donner une de ses pommes à Marie, il en aurait autant qu'elle. Combien de pommes Marie a-t-elle ?

TM Les pays cachés

Dans chacune de ces cinq phrases se cache un pays. Essaie de le trouver !

Conchita, Liette et Marie se promenaient sur la place.

Cet homme n'est pas franc, et il a une tête de bandit.

Elle est un peu aigre, cette sauce !

La vie est issue de la mer.

Je suis seule, mais je ne m'ennuie jamais !

√x̄ Le pré aux puits

Voici un champ avec sept puits. En l'observant bien, tu devineras peut-être combien de vaches il faudrait dessiner dans la parcelle vide?

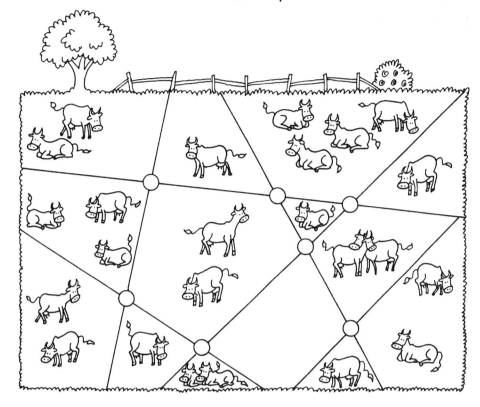

◉ Le défi du dé

Deux de ces quatre dés ne correspondent pas au dé déplié. Lesquels?

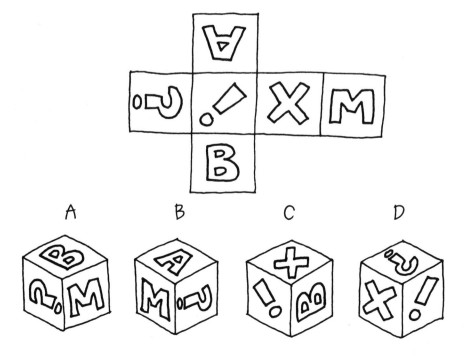

A   B   C   D

❓ charades en salade

1. Mon premier a 365 jours.
   Mon deuxième est un dessert.
   Mon troisième est le son du hoquet.
   Mon tout est un continent.

2. Mon premier est double dans poubelle.
   Mon deuxième vient avant G.
   Mon troisième a 365 jours.
   Mon tout est un mammifère de poids.

3. Mon premier est un amoncellement.
   Mon deuxième est une terre entourée d'eau.
   Mon troisième n'est pas rapide.
   Mon quatrième vient après un.
   Mon tout est un pays d'Asie du Sud-Est.

4. Mon premier est un des cinq sens.
   Mon deuxième est un mélange de bleu et de jaune.
   Mon troisième n'est pas toujours facile à défaire.
   Mon quatrième ne dit pas la vérité.
   Mon tout est le pouvoir qui dirige un pays.

5. Mon premier est une dent du lion.
   Mon deuxième est synonyme de signal.
   Mon troisième est une terre entourée d'eau.
   Mon tout est un reptile.

6. Mon premier est synonyme de fermer.
   Mon deuxième se boit.
   Mon troisième se glisse dans le chas d'une aiguille.
   Mon tout est ce qui donne
   la couleur verte aux plantes.

◉ Phrases-rébus

Déchiffre les trois phrases que cachent ces dessins.

1.

2.

3.

Copies de colliers

Seuls deux de ces colliers sont parfaitement identiques. Vois-tu lesquels ?

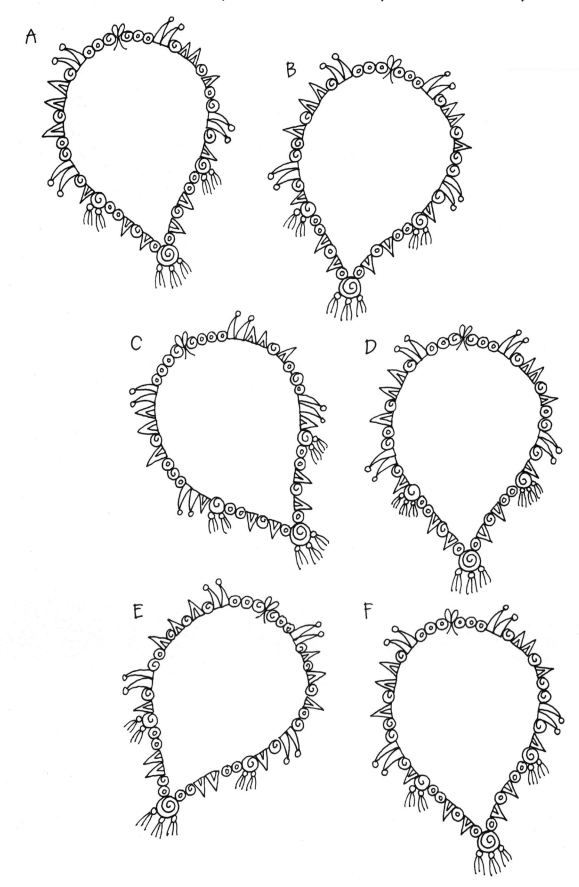

Labyrinthe de lettres

Traverse ce labyrinthe en ne suivant que les lettres qui forment le message :
« Véronique voyage en avion de Vancouver à Valparaiso. »

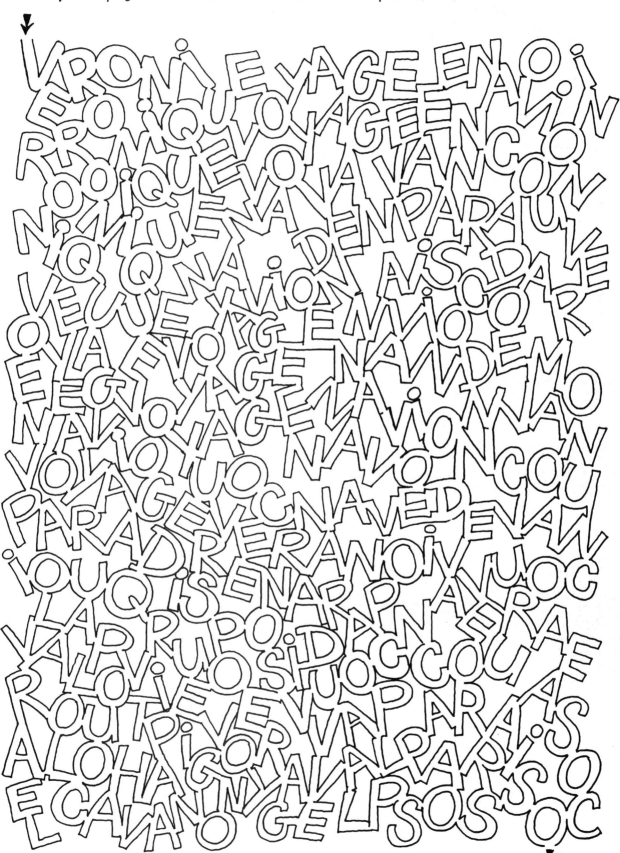

Qui vient d'où?

D'après leur costume, essaie de relier ces 10 enfants à leur région d'origine.

Horizontalement

1. Pas mouillé. Opposé à l'ouest. Exagérément.
2. Quatrième note de la gamme. Relatif au pôle.
3. Contraire de froide. On les trouve dans équitation, mais pas dans autorisation.
4. Vent soufflant sur les régions tropicales. On s'en sert pour glisser sur la neige.
5. Des éclairs et du tonnerre. On les trouve dans bêta, mais pas dans bottin. Terme.
6. Pensée. Petite prairie.
7. Saison froide. Travaille à l'aiguille.
8. Direction. Métal jaune.
9. Synonyme de à condition que. Pas habillé. Pratique.
10. On les trouve dans beige, mais pas dans bain. Grosse tempête. Après-midi. Fin de poteau.
11. À elle. Il brille.
12. Eau gelée.
13. Vent froid du nord.
14. Climat du désert. Air qui se déplace.

Verticalement

1. Longue période sans pluie. Période de froid.
2. Elle tombe en flocons.
3. Certains oiseaux y passent l'hiver.
4. Pas secs. Le squelette en est constitué.
5. Première note de la gamme. Mot de lien. Ils passent dans le ciel.
6. La sécheresse peut provoquer un ____ de forêt. Non pollué.
7. Celui qui nous entoure est parfois pollué.
8. Personne qui ressemble beaucoup à une autre.
9. On les trouve dans espion, mais pas dans noire. Métal brillant.
10. Tourbillon d'air qui cause des ravages. Années. On les trouve dans barque, mais pas dans ruade.
11. Parcouru des yeux.
12. L'eau de mer est ____ . Averse.
13. Sorte de brouillard.
14. Précipitation sous forme de petites boules de glace.
15. Climat au niveau de l'équateur.
16. Participe passé du verbe lire. On les trouve dans arrivé, mais pas dans alité.
17. Climat ni très chaud, ni très froid. Contraire de plein.
18. Métal précieux.
19. Saison. En hiver, au pôle Nord, elle est très longue.

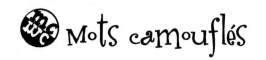

Dans cette grille se cachent les noms de six choses que tu connais bien et que tu pourrais voir en regardant le ciel. Ouvre l'œil! Ils sont tous écrits de gauche à droite ou de haut en bas.

Q	P	V	L	O	N	E	M	S	C
U	A	O	A	L	U	N	E	O	H
I	R	U	A	V	I	O	N	L	I
L	A	S	B	A	B	R	E	E	E
E	C	I	N	R	A	M	T	I	R
T	H	N	U	U	L	I	T	L	F
T	U	T	A	B	L	S	A	C	G
E	T	O	G	H	O	E	H	T	U
R	E	T	E	T	N	L	U	I	E

Les fleuves en folie

Voici huit noms de fleuves importants. Complète-les avec les groupes de lettres. N'hésite pas à t'aider d'un atlas !

1. G____ ____ ____E
2. AM____ ____ ____NE
3. SE____ ____ ____
4. M____ ____ ____ISSIPPI
5. TI____ ____ ____
6. DA____ ____ ____E
7. ____ ____ ____ ONG
8. ____ ____ ____ GA

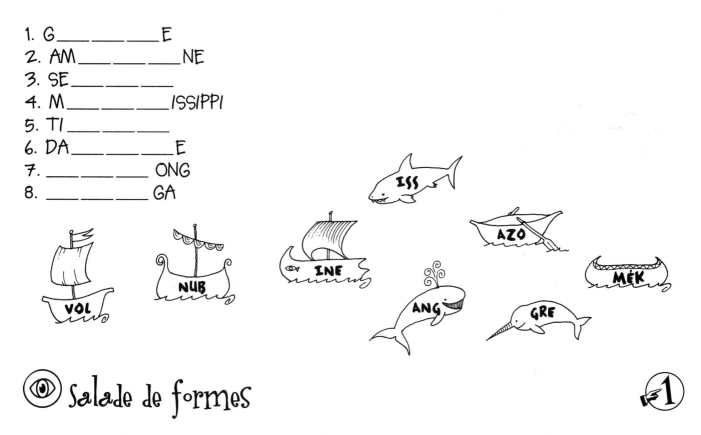

Salade de formes

Combien de fois retrouves-tu cette forme dans cette salade de formes ?

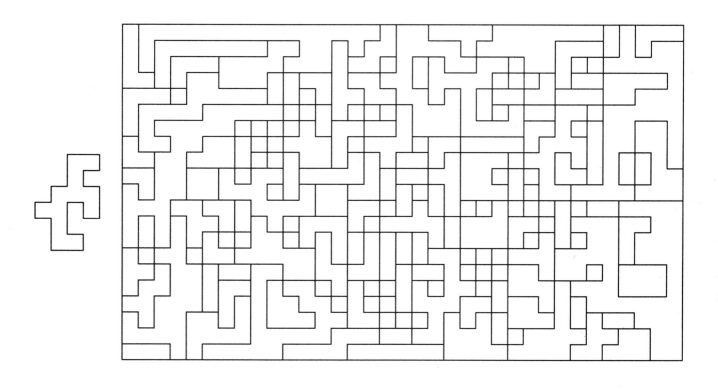

© Les éditions Héritage inc. 1999

Les intrus

Dans chacune des listes ci-dessous, découvre l'élément qui n'a pas de lien logique avec les autres.

1. palmier   cocotier   érable   baobab   palétuvier
2. kangourou   émeu   koala   ornithorynque   opossum
3. requin   rorqual   raie   rémora   rouget
4. pagne   anorak   sari   paréo   bikini   pagaie
5. paille   pain   pomme   papaye   poulet
6. kiwi   kaki   mangue   goyave   topinambour
7. Madrid   Miami   Melbourne   Montréal   Madagascar
8. boomerang   enclume   lance   harpon   arc

Le quiz des mots en COU

À l'aide des définitions à gauche, complète les mots à droite. Ce ne devrait pas être trop difficile, ils commencent tous par COU!

1. Une entaille dans la peau.   COU __ __ __ __
2. Un reptile.   COU __ __ __ __ __ __
3. Le bleu en est une.   COU __ __ __ __
4. La fille de mon oncle.   COU __ __ __ __
5. Bravoure.   COU __ __ __ __
6. Elle nous tient bien chaud.   COU __ __ __ __ __ __
7. Il est dans la boîte aux lettres. COU __ __ __ __ __
8. Il confectionne des vêtements. COU __ __ __ __ __ __

? Qui dit vrai?

Ces cinq personnages nous racontent un souvenir de voyage. Mais certains ont un peu trop d'imagination. Lis bien les textes et tu sauras lesquels disent vrai et lesquels racontent n'importe quoi.

A. J'ai passé plus de trois mois sur une île déserte du Pacifique. Les premiers temps, je me suis nourri de noix de coco, mais vers la fin, les femmes indigènes du village voisin m'apportaient un genre de pâte très nourrissante faite à partir d'un tubercule.

B. J'ai vécu quelque temps chez les aborigènes d'Australie. Ils m'ont fait découvrir les kangourous, les émeus, les ornithorynques et une foule d'autres animaux étranges qu'on ne retrouve nulle part ailleurs sur la planète.

C. Le 12 juillet 1994, j'ai réalisé mon rêve le plus cher : voir des requins-baleines, les plus gros des poissons. Lors d'une plongée, j'ai pu en observer tout un groupe. Une des femelles allaitait même son petit, qui avait déjà une bonne taille. Ce sont des animaux tout à fait pacifiques.

D. J'ai passé l'hiver de 1997 chez les Inuits dans le Grand Nord. Je les ai accompagnés à la chasse. C'était pratique, car avec le soleil qui ne se couchait presque pas, nous pouvions toujours voir loin. J'ai pu observer des troupeaux de phoques et de manchots et même quelques ours polaires.

E. J'ai passé trois ans en Inde. Je suis revenue avec une foule de recettes épicées, deux saris colorés que je porte souvent, et même un cobra empaillé.

© Les éditions Héritage inc. 1999

Solutions

Page 9
SUPERGRILLE : EN VOYAGE !

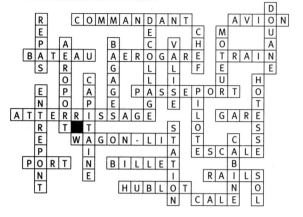

Page 10
LA VALISE PERDUE

Page 11
QU'EST-CE QUI CLOCHE AU PÔLE NORD ?

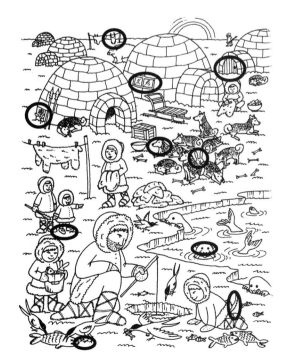

Page 12
LE FLOCON

SOUS LE CIEL ÉTOILÉ

☆ = 5   ☾ = 10   ☀ = 15   🪐 = 20

Page 13
LE SECRET DANS LE BLIZZARD
Voilà une petite brise qui ravigote !

Page 14
DANS LE GRAND NORD

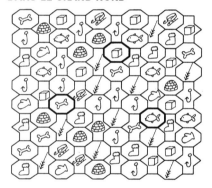

QUESTION DE CUBES
Il en manque 20.

Page 15
R... COMME RODÉO !
Mots en R : radio, rails, raisins, rat, remorque, renard, rêne, requin, réservoir, revolver, rideau, robe, roche, rose, roue, robinet, route, ruade, ruban...

Page 16
MOT MYSTÈRE : DES VACANCES À LA PLAGE
Mot mystère : bigorneau

Page 17
PÊLE-MÊLE
A : Mireille
B : Mimi
C : Marie
D : Manon

Page 18
OBJETS CACHÉS : LE LONG DU SENTIER

Pages 19–20
JEU DE MÉMOIRE : LE CUISTOT
Dans cette cuisine, il y a une poêle à frire, trois crabes, pas de lunettes de soleil, pas de roue de vélo, pas de pelle, pas de chapeau de clown, pas de quille, deux bottes, pas de chaise, une radio, une chaussette, un os, pas de navet, pas de tablier décoré de cœurs, un chat.

Page 20
LE PROBLÈME DE CHICO

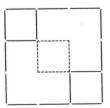

Page 21
LA FORÊT TROPICALE

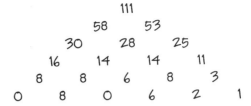

```
                111
           58        53
        30      28      25
      16      14      14      11
    8      8      6      8      3
  0     8     0     6     2     1
```

LA TOILE INACHEVÉE
Le détail D.

Page 22
LE MÉLI-MÉLO DES NOMS D'ANIMAUX
1. iguane 2. otarie 3. pélican 4. phoque 5. cormoran 6. pingouin 7. tortue 8. albatros. Les îles GALAPAGOS abritent tous ces animaux.

LE JOYEUX CARROUSEL

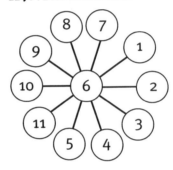

Page 23
LÉZARDS CACHÉS : SOUS LES TROPIQUES

Page 24
SUPERGRILLE : LA FAUNE MARINE

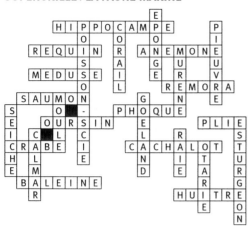

Page 25
LE DÉFI DU DOUANIER

Cinq voyageurs ont du chocolat et du saucisson, donc un voyageur n'a que du saucisson et trois voyageurs n'ont que du chocolat. Ce qui fait neuf voyageurs ayant déclaré quelque chose.

PAGAILLE À L'AÉROPORT

Notre avion est en retard !

Page 26
LES LUTINS MALINS

1. Bob 2. Snouc 3. Cric 4. Pop 5. Crac 6. Bong 7. Croc 8. Flip

Page 27
GRILLE MYSTÈRE

Elle vend des tulipes !

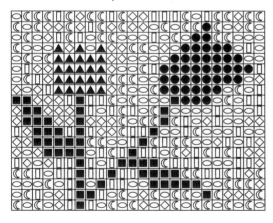

Page 28
LE QUIZ DES MOTS EN POL

1. poltron 2. Polonais 3. Napolitain 4. dépolluer
5. pollen 6. métropole
Solution : polder

À LA MODE

A : Rémi B : Simon C : Arnaud

Page 29
P... COMME PÉNICHE !

Mots en P : pain, panier, panneau, pantalon, pantoufle, papier, papillon, parapluie, parasol, pastèque, patin, pâtisserie, pavé, péniche, persienne, pétanque, pied, planche, plante, poche, poignée, poisson, pomme, pont, porte, poste, pot, poubelle, poupée, pyjama...

Page 30
LES VOYELLES DE LA MORALE

Rien ne sert de courir, il faut partir à point !

Page 30
LA FABLE FANTÔME

La cigale et la fourmi

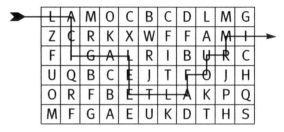

Page 31
T... COMME TOUTE UNE VISITE AU ZOO !

Mots en T : table, tache, talon, Tarzan, tasse, t-shirt, téléphone, tête, thermomètre, ticket, tige, tigre, toit, tomate, tortue, totem, toucan, toupet, tournesol, trèfle, tresse, tronc, truie, tuiles, turban...

Page 32
LA PESÉE DU ZOO

Enlève l'oiseau sur chaque plateau du bas. Si les deux rhinocéros pèsent autant que l'éléphant et le tigre réunis (1000 kg), chaque rhinocéros pèse 500 kg.

LES CHIENS PARISIENS

Sept bassets.

Page 33
LA GRILLE DES MOTS EN IMAGES

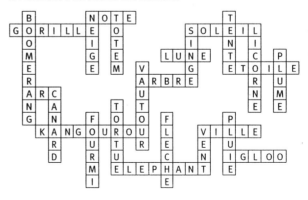

Page 34

M... COMME MAGIE !

Mots en M : magicien, main, malle, manche, manivelle, mannequin, manteau, maquillage, mare, masque, méduse, minet, miroir, monocle, monocycle, montre, mouchoir, mouette, moustaches, mouton, muguet, museau...

Page 35

À L'EAU !

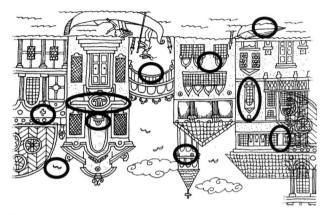

Page 36

REMUE-MÉNINGES

1. Gianfranco devrait le croire puisque Alberto ne parle pas de la mère de son père, mais de celle de sa mère.
2. Puisque Monica ment, ce n'est pas Alexandra. Puisque Samia ment, ce n'est pas Monica. Donc, c'est Samia.

L'INTRUSE

Oie, oiseau, bois, toit, trois, roi, maison. La maison est le seul élément dont le nom ne contient pas le son oi.

Page 37

LES FRISES GRECQUES

L'élément F.
Les frises sont toutes composées des quatre mêmes éléments, mais ceux-ci sont placés dans un ordre différent.

LES PETITS FUTÉS À L'AFFÛT

1. un bateau chinois
2. une maisonnette russe
3. une pagode
4. l'Inde
5. l'Australie

Page 38

MOT MYSTÈRE EN LI

Mot mystère : Lithuanie

Page 39

LE SECRET DU COSAQUE

J'adore la danse, mais je commence à avoir les jambes molles !

Page 40

OBJETS CACHÉS : AU CŒUR DE L'HIMALAYA

Page 41

SUPERGRILLE : PREMIER DE CORDÉE

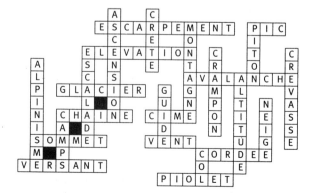

Page 42
G... COMME GANGE

Mots en G : gant, garçon, genou, gilet, glace, gourde, goûter, goutte, gradins, grand-mère, grappe, grenouille, grève, grillage, gueule, guide...

Page 43
MÉLI-MÉLO DE LETTRES CHIFFRÉES

Pari, aigle, pouce, trou, tortue, loutre, coude, rame, linge.

Le pays où on réalise le plus de films est l'Inde.

Page 44
LE DÉFI DANS LA JUNGLE

Il y a trois chasseurs, trois tigres et deux éléphants.

LE QUIZ DES MOTS EN MOU

1. mouflon 2. amour 3. moulin 4. mousse 5. moustique 6. mousquetaire 7. mouton

Le vent qui souffle sur l'Asie et apporte la pluie est la mousson.

Page 45
LES STATUES ASIATIQUES

Page 46
MOTS CODÉS

1. baobab 2. jaguar 3. Himalaya 4. kangourou 5. Jérusalem 6. homard 7. dromadaire 8. Cambodge 9. pyramide

Le nom du seigneur indien est Maharajah.

Page 47
FOUILLIS DE FORMES

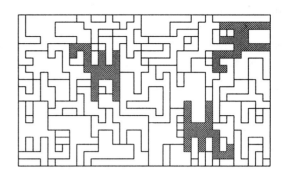

LES « SCRABOUILLEURS »

34 = mâche, 21 = âme, 13 = eau, 35 = chaume, 24 = dame, 10 = duc, 11 = écu, 25 = chaud

Page 48
DU COQ À L'ÂNE

Le coq.

MOTS À COMPLÉTER

1. coriandre 2. poivre 3. cumin 4. curcuma 5. safran 6. muscade 7. moutarde 8. cannelle 9. vanille 10. girofle

Page 49
DESSIN MYSTÈRE

Ville mystère : Shanghaï

Page 50
LES MASQUES

Le masque 5. Il a la bouche du 1, le bas du front du 2, les yeux du 3, les fossettes du 4, le nez du 6.

Page 51
LES OMBRES CHINOISES

L'ombre 5 est celle du dragon.

OBJETS À TROUVER : LE NOUVEL AN CHINOIS

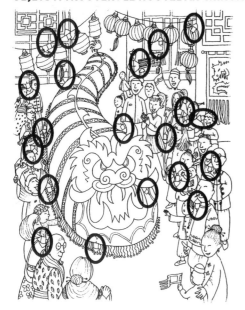

L'ASIE EN COULEURS
Quatre couleurs.

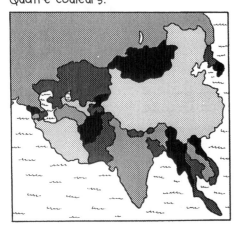

SUPERGRILLE : ANIMAUX D'ASIE

PERDU DANS LA PAGODE

MOT MYSTÈRE : LA MER
Mot mystère : naufrages

DES ÎLES SOUS LE VENT

Page 58
DES MOTS D'AUSTRALIE

4 lettres : aile, aire, âtre, laie, lait, raie, rail, râle, rate, ruse, sale, sali, sari, saut, sire, site, taie

5 lettres : asile, astre, autel, autre, liste, litre, salut, saule, suite, talus, taure, truie, utile

6 lettres : laitue, saluer, saturé, sauter

7 lettres : astrale

8 lettres : australe

En as-tu trouvé d'autres ?

Page 59
LES PETITS GÉNIES EN BALADE

1. Le pygargue à tête blanche. (Si tu as répondu « aigle », c'est bon aussi !)
2. À l'érable.
3. L'Italie.
4. Une mosquée.
5. Parce qu'elle est très très salée.
6. Le Sahara.
7. Le vampire.
8. Le requin-baleine (il fait environ 18 m).
9. L'aï (ou paresseux). (Il lui faut plusieurs secondes pour déplacer une patte de quelques centimètres !)
10. L'ornithorynque.

Page 60
MATHS ET MOTS

A : 2	B : 300
C : 6	D : 4
E : 32	F : 450
G : 400	H : 18
I : 114	J : 14
K : 8	L : 1000
M : 10	N : 200
O : 180	P : 83
Q : 999	R : 48
S : 0	T : 100
U : 61	

SADCKMJHERUPTIONBGFQL

Page 61
MOT MYSTÈRE : VOLCAN EN VUE !

Mot mystère : soufrière

Page 62
QU'EST-CE QUI CLOCHE AU FOND DE L'EAU ?

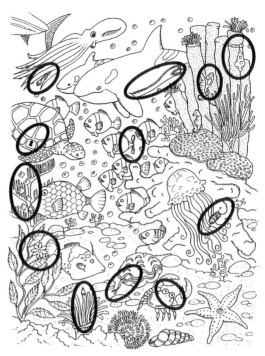

Page 63
D'ÎLE EN ÎLE

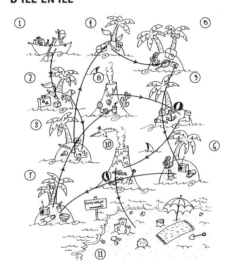

Page 64
SUPERGRILLE : LA FAUNE D'OCÉANIE

Page 65
SEULS ET UNIQUES !
G3, H3, F4, E5, E6 et G8

LES CHASSEURS
C'est la phrase B qui s'y rapporte le mieux.

Page 66
MOTS À FAIRE
3 lettres : âme, bar, boa, mer, nom

4 lettres : arme, gare, ogre, orge, orme, rage, rame, rang, robe

5 lettres : ambre, arôme, barge, brome, gnome, marge, morne, ombre, orage, roman

6 lettres : borgne, manger, orange, ranger

En as-tu trouvé d'autres ?

Page 67
OBJETS À TROUVER : PERDUS DANS LE PACIFIQUE

Page 68
PAS BÊÊÊTES !

LE MOUTON NOIR
Le prix est de 11 $, car le mouton noir de chaque groupe vaut toujours un dollar de moins que la somme des prix des deux moutons blancs.

Page 69
CACHE-CACHE
1. voyage 2. marais 3. capitale 4. écorce 5. baobab 6. désert 7. fleuve 8. plaine

Page 70
MOT MYSTÈRE : À L'ABRI !
Mot mystère : maisonnette

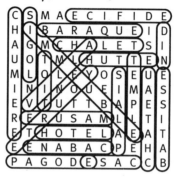

Page 71
LE QUIZ DES MOTS EN MAN
1. manette 2. manteau 3. mandibule 4. manche 5. manchon 6. manitou 7. mante.
Solution : manchot

SYLLABES EN SÉRIE

BOU	KO	DE	SOB	DI	ME	BUL	VE
TON	TE	TU	MA	BON	RUT	TI	RE
FRO	BU	MEUR	LI	CHA	JAM	SOR	TRE
ANT	FOR	TRI	BU	REU	SA	FIR	VI
FRE	LE	PA	SE	LON	SIR	DAR	SER
SON	AR	CIL	LAC	GUE	RI	RE	PAS

Bouton, tonte, têtu, tumeur, meurtri, tribu, buse, selon, longue, guéri, rire, repas, passer, servi, vitre, trésor, sorti, tire, rêve.

Page 72
FOUILLIS DE FICELLES
La banquise de Ross.

L'ORQUE FÉROCE
10 crevettes, 2 phoques, 5 poissons, 3 manchots

Page 73
LE CASSE-TÊTE CASSE-PIPE
Les pièces 2 et 7.

Page 74
QUATRE ET PLUS
C'est un dromadaire couché.

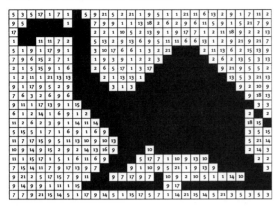

Page 75
LA GRILLE DU PHARAON

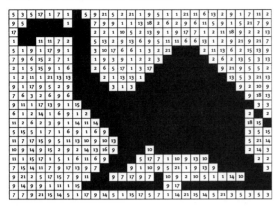

QUEL TRIANGLE !
Il y a 26 triangles.

Page 76
DES DÉS SENS DESSUS DESSOUS
Le dé D.

DES SYMBOLES SECRETS

 = 4

 = 2

 = 6

 = 5

 = 3

 = 1

Page 77
LABYRINTHE

Page 78
ALERTE DANS LES HAUTES HERBES !
Guépard, lion, hyène.

DES FILS AFFOLANTS
Kilimandjaro

Page 79
MÉLI-MÉLO DE MAISONS
A : Esta
B : Yapoyo
C : Swelali
D : Tunaïmi
E : Manka
F : Lydia
G : Ngidaha
H : Daniel
I : Nicodému

Page 80
MOT MYSTÈRE : SINGES ET COMPAGNIE
Mot mystère : primate

Page 81
MATHS POUR LES MORDUS

A : 64	B : 3
C : 50	D : 8
E : 16	F : 10
G : 15	H : 144
I : 20	J : 0
K : 136	L : 500
M : 400	N : 100
O : 30	P : 3600
Q : 2	R : 4
S : 245	T : 26
U : 36	

J Q B R D F G E I T O U C A N K H S M L P

Page 82
D'UNE LETTRE À L'AUTRE

Rhinocéros

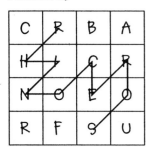

À LA CHASSE AUX CONSONNES

Qui va à la chasse perd sa place !

Page 83
QU'EST-CE QUI CLOCHE AU PIED DU KILIMANDJARO ?

Page 84
CACHE-CACHE

1. Ottawa 2. Kaboul 3. Moscou 4. Santiago 5. Dublin
6. Madrid 7. Lima 8. Prague

Page 85
MOT MYSTÈRE : EN ROUTE !

Mot mystère : chemins

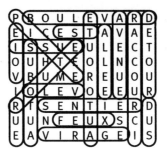

Page 86
MOTS EN ALVÉOLES

Aorte, arôme, chéri, chérie, datte, drame, dromadaire, madrier, maraîcher, martre, radar, retard, riche, tarte, tétard, trame...
En as-tu trouvé d'autres ?

Page 87
DES MOTS À LA PELLE

Charbon, cuivre, émeraude, diamant, amiante, fer, argent, sel.

L'INTRUSE

Seule la lettre E se compose de quatre traits, alors que les autres n'en ont que trois.

Page 88
LE SECRET DE L'AGENT

Hin ! Hin ! Hin ! Sur ce microfilm se trouve la recette qui permet de changer l'eau en lait au chocolat !

Page 89
EXPRESSIONS EN IMAGES

1. Donner un coup de main.
2. Être dans la lune.
3. Avoir l'estomac dans les talons.
4. Être myope comme une taupe.
5. Prendre ses jambes à son cou.
6. Grimper dans les rideaux.
7. Rire à s'en décrocher la mâchoire.
8. Avoir le cœur sur la main.

Page 90

INCROYABLE, MAIS VRAI !

1. 12 m
2. 10 ans
3. 400 ans
4. 500 baignoires d'eau
5. 19 cm
6. les États-Unis
7. 30 000
8. 80 %
9. de la sève d'un arbre (l'hévéa, qui produit le latex)
10. les vers de terre

Page 91

UNE IMAGE DE TROP

Ballon, poisson, phare, poule, piquet, parapluie.
Le ballon est le seul élément dont le nom ne commence pas par P.

DEVINETTES EN VRAC

1. Le poisson-chat.
2. 33 X 3 = 99.
3. Les îles Canaries.
4. La Voie lactée.
5. De gros gros trous dans la savane australienne.
6. Tu as le nez collé au plafond.

Page 92

ANIMOTS

1. ara (garage, charade)
2. veau (cerveau, caniveau)
3. mouche (escarmouche, moucherolle)
4. bouc (boucherie, bouclier)
5. buse (arquebuse, cambuse)

PENSES-Y BIEN !

1. Il est toujours six heures et quart, mais à présent le réveil de Suzie retarde.
2. La lettre i.
3. N'importe quelle question dont il peut vérifier la réponse, comme par exemple : « Est-ce que j'ai des moustaches ? »

Page 93

DU VER DE TERRE AU CROTALE

Un crotale contient deux scolopendres, donc quatre couleuvres, donc huit vers de terre.

LE PROBLÈME DU MENUISIER

Page 94

LES CARRÉS CACHÉS

Il y a 18 carrés.

SÉRIES À FINIR

A. 55 (+ 3, + 4, + 5, + 6, + 7, + 8).
B. 22 (x 2, + 1, x 2, + 1, x 2).
C.

D. H (la lettre qui suit le G dans l'alphabet).
E.

Page 95

VICE-VERSA

La figure 3 est la bonne.

LES ANIMAUX CACHÉS

Sans arrêter de se ber<u>cer</u>, Fernand dit à Paul que s'il est po<u>li, on</u> lui pardonne<u>ra</u> <u>t</u>outes ses bêtises. (cerf, lion, rat)
Après avoir éteint le <u>gaz, elle</u> a fait ce qu'elle a <u>pu, ma</u>is le feu avait déjà fait fondre la casserole. (gazelle, puma)

Page 96

DANS LE KALAHARI ENDORMI

Attention, chats méchants !

Page 97

RIBAMBELLE DE RÉBUS

1. muraille (mur-ail)
2. pomme de terre (pot-meuh-deux-terre)
3. planche à neige (plan-chat-neige)
4. mousquetaire (mousse-queue-terre)
5. baleine (bas-lait-nœud)
6. tabac (tas-bas)
7. perroquet (père-o-quai)

Page 98

PAREIL, PAS PAREIL !

1. État et pays
2. tsunami et raz-de-marée
3. prairie et savane
4. grève et plage
5. étang et mare
6. bouquin et livre
7. paysan et agriculteur
8. boîte et caisse
9. étoile et astre
10. île et atoll

Page 99

CHARADES EN SALADE

A. raviolis (rat-vie-eau-lit)

B. Californie (K-lit-fort-nid)

C. Manitoba (mât-nie-tôt-bas)

D. Tamanoir (tas-mât-noire)

E. Belgique (belle-J-queue)

F. orang-outan (or-an-août-temps)

Page 100

COLLES POUR LES CALÉS

1. des aborigènes
2. la Roumanie
3. le Grand Canyon
4. des rennes
5. l'écorce d'un arbre
6. une danse
7. une pièce de monnaie russe
8. sur pilotis
9. une tige creuse servant à lancer des projectiles
10. en Espagne

Page 101

SALADE D'ÉTÉ

Le champignon vaut 5.

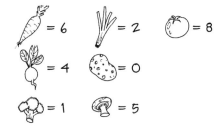

LES ALVÉOLES VIDES

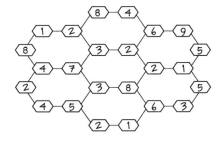

Page 102

MARIE ET MAXIME

Marie a 5 pommes.

LES PAYS CACHÉS

Conchita, <u>Liette</u> et Marie se promenaient sur la place. (Italie)

Cet homme n'est pas <u>franc, e</u>t il a une tête de bandit. (France)

Elle est un peu <u>aigre, ce</u>tte sauce ! (Grèce)

La vie est <u>issue de</u> la mer. (Suède)

Je <u>suis seu</u>le, mais je ne m'ennuie jamais ! (Suisse)

Page 103

LE PRÉ AUX PUITS

Trois vaches, car il y a toujours huit vaches autour de chaque puits.

LE DÉFI DU DÉ

Les dés A et D.

Page 104

CHARADES EN SALADE

1. Antarctique (an-tarte-hic)
2. éléphant (L-F-an)
3. Thaïlande (tas-île-lent-deux)
4. gouvernement (goût-vert-nœud-ment)
5. crocodile (croc-code-île)
6. chlorophylle (clore-eau-fil)

Page 105

PHRASES-RÉBUS

1. La panthère et six okapis s'en iront sous la pluie. (la-paon-terre-ré-ciseaux-K-pis-100-nid-rond-saoûl-la-pluie)
2. La fourmi de Julie aime les pissenlits. (la-four-mi-deux-jus-lit-M-lait-pis-100-lit)
3. Si Simon a cassé la radio, il ira la réparer (scie-si-mont-a-k-c-la-radis-eau, île-lyre-rat-la-raie-pas-ré).

Page 106

COPIES DE COLLIERS

Les colliers B et F.

Page 107

LABYRINTHE DE LETTRES

Page 108

QUI VIENT D'OÙ ?

A-10, B-4, C-3, D-5, E-8, F-6, G-2, H-9, I-7, J-1

Page 109
MOTS CROISÉS : LE CLIMAT

Page 110
MOTS CAMOUFLÉS
Solution : avion, ballon, lune, nuage, parachute, soleil

Page 111
LES FLEUVES EN FOLIE
1. Gange 2. Amazone 3. Seine 4. Mississippi 5. Tigre
6. Danube 7. Mékong 8. Volga

SALADE DE FORMES
On retrouve la forme trois fois.

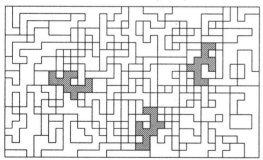

Page 112
LES INTRUS
1. L'érable n'est pas un arbre des pays chauds.
2. L'émeu est un oiseau, pas un mammifère.
3. Le rorqual n'est pas un poisson, mais un mammifère.
4. La pagaie est un genre de rame, pas une pièce de vêtement.
5. La paille ne se mange pas.
6. Le topinambour n'est pas un fruit, mais un tubercule.
7. Madagascar est le nom d'un pays, pas d'une ville.
8. L'enclume n'est pas une arme.

LE QUIZ DES MOTS EN COU
1. coupure 2. couleuvre 3. couleur 4. cousine
5. courage 6. couverture 7. courrier 8. couturier

Page 113
QUI DIT VRAI ?
Si A avait vraiment été sur une île déserte, il n'y aurait pas côtoyé les femmes indigènes. C n'a pas pu voir de requin-baleine allaiter son petit, car c'est un poisson et les poissons n'allaitent pas leurs petits. D dit vraiment n'importe quoi lui aussi : dans le Grand Nord, c'est l'été que le soleil ne se couche presque pas et on n'y voit pas de manchots (ceux-ci vivent en Antarctique). B et E sont moins farfelus.

Payette & Simms inc.

Achevé d'imprimer en août 1999 sur les presses de
Payette & Simms inc. à Saint-Lambert (Québec)